C# 10

y Visual Studio Code

Fundamentos del lenguaje

ISBN: 978-2-409-03685-9
Edición original: 978-2-409-03370-4

Ediciones ENI es una marca comercial registrada de Ediciones Software.

Ediciones ENI

Pº Ferrocarriles Catalanes, 97-117, 2a pl. of. 18
08940 - Cornellà de Llobregat (Barcelona)

Tel: 934 246 401
Fax: 934 231 576

e-mail: info@ediciones-eni.com
http://www.ediciones-eni.com

Autor: Christophe MOMMER
Edición española: Beatriz GOYANES ARNEDO
Colección **Recursos Informáticos** dirigida por Émilie VILLETORTE

Prólogo

En 2021 no es fácil elegir un lenguaje de programación cuando se quiere empezar una carrera como desarrollador o simplemente entregarse a los placeres de la creación de aplicaciones. Uno de los principales criterios que vuelven a aparecer a menudo es lo que se puede hacer con el lenguaje elegido.

C# es un lenguaje muy popular en el mercado, situado de manera sistemática en todos los estudios entre los diez lenguajes más interesantes, como la clasificación Tiobe, actualizada todos los años. Pero lo que también constituye uno de sus puntos fuertes es su gran alcance estos últimos años, especialmente porque ha sido lanzado con código abierto y se ha convertido en multiplataforma.

En otras palabras, eso significa que todo el mundo puede usar el lenguaje y contribuir a él, pero también puede servir para crear aplicaciones bajo cualquier forma. Para poder enfrentarse a estos desafíos, el lector debe conocer los conceptos fundamentales del lenguaje para crear aplicaciones robustas. Por eso, el libro C#10 y Visual Studio Code va dirigido a todos, tanto principiantes como experimentados, que ya conocen un lenguaje de programación o, simplemente, quieren empezar a aprender uno.

No hay requisitos previos y todos los términos se han estudiado y analizado a fondo con objeto de darle al lector el contexto vinculado con lo que aprende, para reutilizarlo correctamente. El libro se divide en capítulos muy progresivos. Si el lector ya está familiarizado con las bases de la programación, puede leer superficialmente los primeros capítulos porque abordan los fundamentos de la algoritmia y de la programación.

Después de un primer capítulo de introducción general, el segundo da una visión general de las bases de la programación y responde específicamente a la pregunta de la diferencia entre una variable y una constante. También se ven algunos tipos comunes, como las cadenas de caracteres o los enteros, y es el momento de conocer la estructura de una instrucción C#.

En el tercer capítulo puede familiarizarse con el concepto básico y fundacional de la programación orientada a objetos. Este concepto es esencial porque estructura todas las aplicaciones C# existentes; el programa mismo se basa en los principios de la programación orientada a objetos.

En el cuarto capítulo se abordan cuestiones de algoritmia, que permiten descubrir los fundamentos del lenguaje con la finalidad de obtener algoritmos comunes, como la creación de bucles, la gestión de los errores o las rutas de código con las instrucciones condicionales.

A partir del quinto capítulo, el libro estudia los temas más avanzados, empezando por LINQ. Esta solución proporcionada por C# permite usar colecciones en memoria, así como bases de datos. El capítulo da las explicaciones necesarias, pero también aparece como un capítulo de referencia: cuando el lector tenga una pregunta sobre LINQ, aquí podrá encontrar una respuesta con rapidez.

El sexto capítulo aborda el tema extremadamente moderno de la serialización. Este procedimiento aspira a transformar un objeto en una forma que puede pasar por los modos de comunicación estándar (como el protocolo HTTP). Así, vemos cómo es posible transformar objetos en flujo JSON o XML, y cómo leer estos flujos para reproducir objetos en memoria. Este funcionamiento es fundamental en las aplicaciones modernas ultra conectadas.

El séptimo capítulo trata temas muy avanzados, como el asincronismo y conceptos algorítmicos más complejos. Estos últimos abarcan la programación reac-tiva o incluso la gestión de la memoria en C#.

Prólogo

El octavo capítulo es la introducción al campo de las posibilidades usando el lenguaje. En efecto, al llegar a este capítulo, el lector principiante tiene una visión consolidada del conjunto de los proyectos factibles en C#, pero no es capaz de saber cómo crear una aplicación. En este capítulo se muestra la introducción a la creación de aplicaciones web, Windows y móviles. Así, el lector puede acudir a los textos especializados para profundizar en un tipo de aplicación u otra.

En el noveno y último capítulo encontrará un memorando de referencia que permite tener siempre disponible la lista de las palabras clave importantes, para consultarlas sin tener que hojear el libro.

Cuando el lector haya leído todo el libro, tendrá una visión más clara de la dirección que desea tomar con el lenguaje C# para su próxima aplicación, mientras descubre un conjunto de funcionalidades avanzadas.

Contenido

Podrá descargar algunos elementos de este libro en la página web de Ediciones ENI: **http://www.ediciones-eni.com**.
Escriba la referencia ENI del libro **RIT10CSHAVSC** en la zona de búsqueda y valide. Haga clic en el título y después en el botón de descarga.

Prólogo

Capítulo 1
Introducción

Capítulo 2
Primer programa

Capítulo 3
Programación orientada a objetos

Capítulo 4
Algoritmia

Capítulo 5
LINQ

Capítulo 6
Serialización

Capítulo 7
Conceptos avanzados

Capítulo 8
Crear aplicaciones

Capítulo 9
Referencia

Capítulo 1
Introducción

1. ¿Qué es C#?

El lenguaje C# (se pronuncia «ci sharp» en inglés) es un lenguaje de programación fuertemente tipado, orientado a objetos y multiplataforma. Para desmitificar esta definición, vamos a ver el significado de los elementos:

- Como vamos a ver durante el segundo capítulo, fuertemente tipado significa que todos los elementos se declaran inicialmente con un tipo determinado, que no se podrá modificar durante toda su vida. Por ejemplo, si declaramos un entero para almacenar en él un valor cualquiera, como la edad de una persona, luego no podremos almacenar en él su nombre en lugar de la cantidad de años porque es una cadena de caracteres, y no un entero. Este funcionamiento es muy distinto del de algunos lenguajes denominados débilmente tipados, como JavaScript, por ejemplo.
- El desarrollo orientado a objetos es una forma específica de escribir código informático siguiendo un paradigma preciso. Estudiaremos este tema detalladamente durante un capítulo de este libro. Por ahora, lo único que necesitamos saber es que el lenguaje se clasifica en esta categoría. Como información, existen lenguajes denominados «procedimentales» (como el lenguaje C) y lenguajes denominados «funcionales» (como el lenguaje F#).

- Multiplataforma porque el lenguaje permite realizar aplicaciones que no dependen de la plataforma. En efecto, C# se utiliza como un conjunto de herramientas, llamado framework, que le da al desarrollador la posibilidad de crear aplicaciones con tipologías muy diversas. En este sentido, se puede usar en cualquier tipo de entorno (PC, Mac, móvil, TV, Smart Watch, etc.).

Como habrá comprendido, con el lenguaje C# y una colección de herramientas, tiene la capacidad de crear una aplicación que puede funcionar en distintos lugares con un mínimo esfuerzo. En este libro veremos algunos ejemplos de aplicaciones que se pueden hacer con C#. Sin embargo, no olvide que, según el destino deseado, habrá limitaciones de entorno. Por ejemplo, incluso si el lenguaje sigue siendo el mismo y los principios son comunes, no puede crear un sitio de internet de la misma manera que una aplicación para Smart Watch. Este libro se centra en las bases del lenguaje, de manera que, cuando escriba su primera aplicación, en función del destino elegido, podrá disfrutar de lo que ofrece el lenguaje.

1.1 ¿Qué se puede hacer con C#?

Aprender un lenguaje de programación es una decisión que debe tomarse en función de varios criterios. Entre ellos, sería lógico encontrar la siguiente pregunta: «si conozco este lenguaje, ¿qué aplicación podría crear?».

Hemos empezado a mencionarlo muy rápido, pero vamos a ver con más detalle lo que podemos crear con el lenguaje C#.

- Aplicaciones para Microsoft Windows. Con C#, dispone de dos tecnologías que permiten hacer aplicaciones gráficas que se pueden ejecutar e instalar en un ordenador que funciona con Windows. Microsoft da soporte completo a estas dos tecnologías, WinForms y WPF, en todas las versiones de Windows disponibles en la actualidad. Otra tecnología, UWP, solo permite hacer aplicaciones nativas de Windows 10.

- Aplicaciones móviles. Con el framework Xamarin, puede hacer su próxima aplicación móvil, ejecutable en Android o iOS. Xamarin también ofrece la posibilidad de crear una variante de su aplicación en Windows y macOS para para ir más rápido. Todos los proyectos realizados con Xamarin se transformarán en aplicación nativa, como si la hubiera escrito directamente en el lenguaje de programación de la plataforma de destino.
- Sitios y aplicaciones web. Con el framework ASP.NET Core, se pueden hacer diversas aplicaciones que se ejecutan en internet: sitio escaparate, sitio de comercio electrónico, aplicación de empresa, etc. ASP.NET Core también dispone de una tecnología denominada «Blazor» que permite realizar aplicaciones dinámicas que le hacen sentir al usuario que navega en una aplicación auténtica, y no en un sitio web. ASP.NET Core también permite hacer API (*Application Programming Interface*) destinadas a conectar aplicaciones entre ellas.
- Videojuegos. Gracias a los motores Unity y Godot, se pueden crear videojuegos con el lenguaje C#. Usará el lenguaje especialmente para escribir scripts y programar el comportamiento global de su juego.
- Aplicaciones integradas. C# se puede ejecutar en entornos que presentan limitaciones de hardware (Raspberry Pi o Smart Watch), y algunos tipos de proyectos se pueden usar para hacer funcionar su aplicación C# en entornos con capacidades limitadas.

Hay muchas otras posibilidades; esta lista no puede ser exhaustiva. La comunidad en torno al lenguaje C# es muy grande, y hay muchas herramientas y frameworks no oficiales (es decir, Microsoft no les da soporte de manera oficial, lo que no les impide funcionar muy bien) que le permitirán implementar todo tipo de usos y funcionalidades.

1.2 ¿El lenguaje es estable y permanente?

El proceso intelectual que intenta determinar si se debe aprender un lenguaje debe integrar estas reflexiones: ¿cuánto tiempo hace que existe este lenguaje? ¿Quién lo usa? Cuando lo haya aprendido, ¿todavía existirá y podrá usarlo?

Estas preguntas son legítimas, y C# es un candidato excelente por los siguientes motivos:

- La primera versión se anunció y publicó en 2001, es decir, veinte años antes de la fecha de redacción de este libro. Después, el lenguaje no ha dejado de evolucionar hasta la versión actual, la versión 10.
- Según un estudio realizado por el sitio Stack Overflow (primera comunidad de cooperación entre desarrolladores en la web, que reúne a millones de usuarios), en 2021 el lenguaje C# está clasificado como uno de los diez lenguajes más populares y más apreciados por los desarrolladores.
- Microsoft es el editor oficial que inició el lenguaje C# y además lo usa para una parte de sus productos, como el motor de búsqueda Bing o incluso el editor de código Visual Studio para Windows. Algunas partes del sistema operativo Windows incluso se basan en el framework .NET. Este último, del que volveremos a hablar durante todo el libro, contiene, entre otras cosas, una colección de herramientas disponibles con el lenguaje.

Considerando algunos de estos puntos, podemos constatar que el lenguaje C# es una parte bien implantada, con sus veinte años de existencia, pero también augura un futuro bastante seguro porque no ha dejado de entusiasmar. Para terminar, Microsoft debe mantener el lenguaje para su propio uso, y el riesgo de que Microsoft se declare en quiebra durante los próximos años es casi cero.

2. Preparar el entorno

El lenguaje no es útil por sí solo; hay que definir una aplicación de destino para usar todo su potencial. Por lo tanto, vamos a tener que elegir:

- el tipo de proyecto que vamos a realizar;
- las herramientas para programar el proyecto antes elegido.

Aunque hemos visto que hay una cantidad bastante impresionante de tipos de proyectos, cada uno tiene sus propias particularidades. El problema que aparece es que, para la primera aproximación al lenguaje, no se recomienda añadir limitaciones vinculadas a un entorno muy concreto.

Por eso, la mejor manera de aprender C# es trabajar en una aplicación pequeña que se ejecutará en una consola, lo que se parece a una interfaz de línea de comandos. Desde luego esto no es muy atractivo, pero permite no tener ninguna limitación que interferiría en nuestro necesario aprendizaje de las bases.

Los archivos de código fuente C# son archivos de texto plano; por eso podemos prepararlos y leerlos con cualquier editor de texto (como el bloc de notas de Windows o vi de Linux, por ejemplo). No obstante, hay herramientas llamadas editores de código o IDE (*Integrated Development Environnement* o, en español, entorno de desarrollo integrado) que ofrecen muchas ventajas. Según el sistema operativo, es recomendable elegir uno de los siguientes IDE:

- Para Windows o macOS, puede desarrollar la aplicación C# con Visual Studio 2022, Visual Studio Code o Rider.
- En Linux, puede desarrollar la aplicación C# con Visual Studio Code o Rider.

Visual Studio Code es una herramienta gratuita presente en todas las plataformas, la usaremos para trabajar en este libro. Cuando tenga bastante experiencia, podrá probar otro editor, según su sistema operativo, para comparar.

Observación

De manera bastante lógica, Visual Studio 2022 para Windows (el editor por excelencia) es la herramienta más completa y potente para hacer aplicaciones C#. Sin embargo, dado que este libro se dirige a desarrolladores de todo tipo, para que todos puedan experimentar en su sistema operativo, la elección recae de manera natural en Visual Studio Code.

2.1 Instalación y configuración de Visual Studio Code

Para instalar Visual Studio Code en su ordenador y empezar a trabajar, tiene que visitar el sitio de internet de la herramienta:
https://code.visualstudio.com/

A continuación podrá consultar las instrucciones de instalación, que difieren un poco según el sistema operativo.

Observación

En general, el sitio de internet Visual Studio Code detecta el sistema operativo y propone directamente la versión adaptada. Si no es así, solo tendrá que usar la lista desplegable para acceder a la versión adecuada.

Después de instalar el entorno, debería poder ejecutarlo y tener una ventana que, en general, se parece a esta (excepto los iconos presentes en la barra lateral izquierda, que son extensiones):

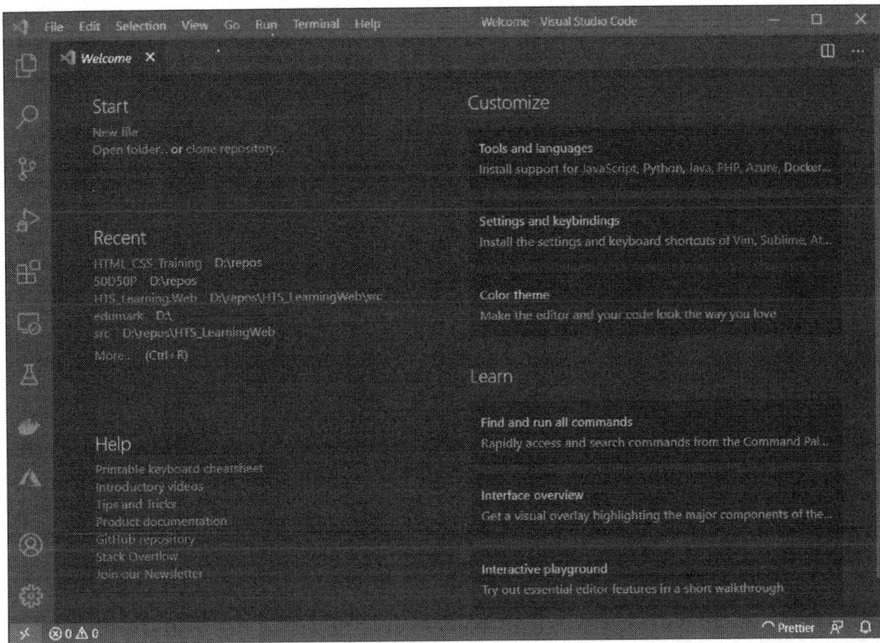

Pantalla de inicio de Visual Studio Code

Si ha llegado al mismo resultado, ahora dispone del editor de código para empezar a trabajar. En caso contrario, le invitamos a empezar de nuevo siguiendo las instrucciones del sitio de Visual Studio Code hasta conseguir instalarlo. La documentación oficial describe detalladamente (en inglés) el procedimiento para su sistema operativo:

- Para Linux: https://code.visualstudio.com/docs/setup/linux
- Para macOS: https://code.visualstudio.com/docs/setup/mac
- Para Windows: https://code.visualstudio.com/docs/setup/windows

Aunque el editor Visual Studio Code sea muy completo de manera predeterminada, no comprende el lenguaje C# (es decir, que lo mostrará como texto sin formato) si no se instala una extensión que permita analizar estos archivos. Para que la instancia de Visual Studio Code pueda leer los archivos C# (identificados con la extensión .cs), tiene que ir al icono de las extensiones en la barra lateral izquierda:

Icono lateral para la gestión de las extensiones con Visual Studio Code

En la ventana que se abre, instale las siguientes extensiones:

- C#
- Bracket Pair Colorizer (v2)
- VS Sharper for C#

Solo tiene que introducir el nombre de la extensión que desea instalar en la zona de escritura destinada para ello (en la parte superior izquierda), seleccionar la extensión deseada en la lista debajo de la zona de búsqueda y, en la parte superior derecha, hacer clic en el botón **Install**. En general, Visual Studio Code le pide que reinicie. Proceda con el reinicio de Visual Studio Code al final de la instalación de todas las extensiones para evitar tener que hacerlo después de la instalación de cada una de ellas.

2.2 Instalar las herramientas de compilación

Crear archivos C# solo es útil si quiere crear una aplicación. Este proceso de generación de los archivos de una aplicación a partir del código fuente se llama compilación. En efecto, C# es un lenguaje compilado. Por eso, es necesario instalar el compilador, es decir, la herramienta que lee los archivos de código y los transforma en instrucciones máquina que puede comprender el ordenador.

Al instalar esta herramienta, va a instalar otros elementos, como el framework Microsoft .NET, que contiene la gran mayoría de los elementos que necesita para ser eficaz y productivo.

Al igual que para Visual Studio Code, es necesario obtener el instalador en el sitio oficial del editor, en esta dirección:
https://dotnet.microsoft.com/download

Observación

La versión estable en el momento de la redacción de este libro es la versión 5. Sin embargo, es muy probable que, cuando lea este libro, esté disponible la versión 6 (una versión con soporte a largo plazo). Si es posible, se recomienda encarecidamente elegir esta última.

Debe descargar el SDK (*Software Development Kit*), que contiene todo lo que necesita para **crear** una aplicación. Tenga cuidado de no confundirse con el botón que permite descargar el runtime, una herramienta que permite simplemente **ejecutar** una aplicación hecha en C# y .NET:

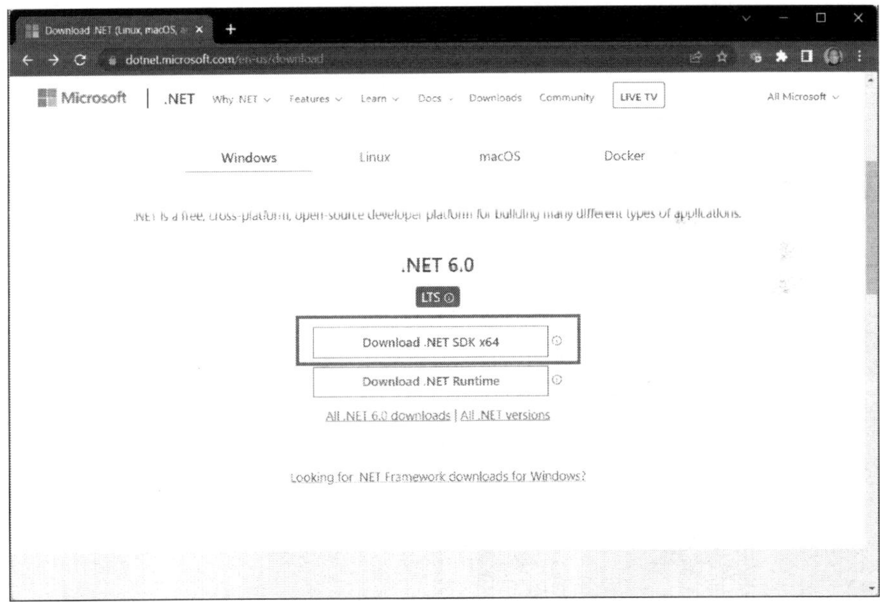

Descarga de SDK .NET

Del mismo modo que con el sitio de internet Visual Studio Code, en general el sitio detecta el sistema operativo y propone de entrada la versión adaptada. Si no es así, puede ir directamente a la página que contiene todas las versiones y obtener el SDK de la versión correspondiente a su sistema operativo: https://dotnet.microsoft.com/download/dotnet

Observación

SDK está disponible en la versión de 64 bits y de 32 bits. Actualmente, todos los ordenadores se ejecutan en 64 bits; son raros lo que todavía funcionan en 32 bits. Sin embargo, si ha instalado la versión de 32 bits por un motivo concreto, no es grave, porque las dos versiones pueden convivir sin problemas. De la misma manera, ejecutar una versión de 32 bits en un sistema de 64 bits no es grave; la compatibilidad está garantizada.

Para comprobar que la instalación se ha realizado correctamente, solo tiene que abrir una línea de comandos en su ordenador y escribir el siguiente comando:

```
dotnet --list-sdks
```

Después de este comando, debería aparecer una respuesta donde se muestran las versiones de los SDK de .NET instalados en el ordenador, así como su ubicación en el disco duro.

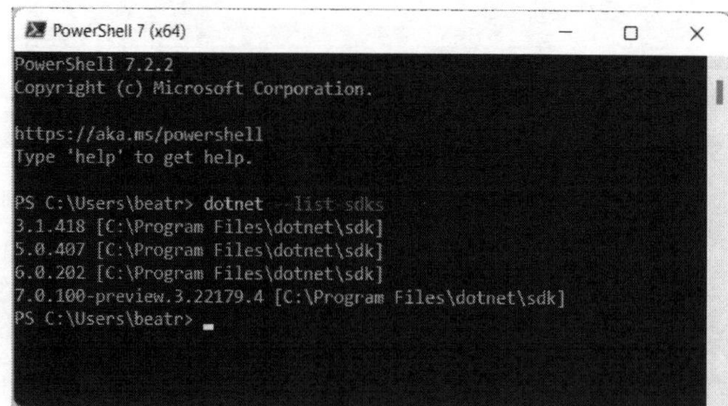

Lista de los SDK instalados

Si no obtiene este resultado, es porque el SDK no se ha instalado correctamente. Intente volver a hacerlo con otra cuenta de usuario o siga las instrucciones que aparecen en la pantalla durante la instalación para arreglar la situación.

Observación

Si ha abierto la consola ANTES del lanzamiento de la instalación del SDK, es posible que se produzca un error. Para estar seguros de que la instalación se ha realizado correctamente, es preferible abrir una consola una vez finalizado el proceso de instalación.

Si todo se ha desarrollado bien, enhorabuena: ahora está listo para empezar su aprendizaje de C#. Antes de pasar a la práctica, primero vamos a ver un concepto importante en el funcionamiento del lenguaje C#.

3. ¿Cómo funciona C#?

Un ordenador no puede comprender directamente el código fuente escrito en C#. Se trata de un lenguaje de alto nivel que ayuda al desarrollador a ser más productivo y más eficaz, pero este lenguaje no se puede usar directamente sin modificaciones. Vamos a escribir código C# y también vamos a garantizar que este código se pueda transformar en aplicación.

Para ello hay que pasar por dos procesos: la compilación y la ejecución. Como habrá comprendido, el código C# solo es un medio, y no un fin. Entre las herramientas que hemos instalado antes, especialmente las incluidas en el SDK, se encuentran dos utilidades que permiten transformar código C# en aplicación ejecutable: el compilador y la runtime.

La primera etapa consiste en transformar el código C# en un código de base, no comprensible directamente por el ordenador, sino por una pequeña máquina virtual: el CLR (*Common Language Runtime*). El compilador «reescribe» el código C# en otro lenguaje, que se llama código IL (*Intermediate Language*) y la máquina virtual ejecuta este último.

Aunque no está obligado a comprender ni a controlar este aspecto por completo, eso permite formular un concepto importante: el código C# se transformará y, por lo tanto, habrá un conjunto de modificaciones y mejoras, pero también verificaciones realizadas por el compilador. Si el código C# no compila, eso significa que ha escrito código que no se puede transformar y entonces no es utilizable. Es una primera barrera de seguridad, que no evita todos los problemas, pero que permite estar seguro de que lo que se ha escrito es transformable.

Una vez producido este código, mediante un archivo DLL o un programa ejecutable, según la plataforma a la que vaya dirigido, la máquina virtual que realiza la transformación entre el código intermedio (el código IL) y las instrucciones materiales del ordenador lo lee y lo utiliza. Por eso ha tenido que instalar un SDK específico en su sistema operativo, porque todos no «hablan el mismo lenguaje» (de hecho, el SDK contiene la runtime, que es la pequeña máquina virtual).

Aunque estas explicaciones pueden parecer complicadas, solo hay que recordar que la única vocación del código C# es ser transformado, según la plataforma a la que vaya dirigido, para después ser utilizado por la máquina virtual instalada en la mencionada plataforma.

De la misma manera, para que pueda escribir C#, necesita un conjunto de elementos básicos sobre los que apoyarse. De hecho, aunque el sistema operativo presenta algunas posibilidades técnicas (como leer un archivo o mostrar un mensaje), el lenguaje C# no sería interesante si estuviera obligado a conocer la manera mediante la que el sistema operativo debe recibir las instrucciones.

Para eso, cuando instaló el SDK, la runtime estaba incluida y también se instaló. Con el SDK también se instaló un conjunto de herramientas desarrolladas por Microsoft, listas para usar. Este conjunto se llama la BCL (*Base Class Library*) o a veces FCL (*Framework Class Library*). El punto importante es que C#, que se basa en el framework .NET, ya dispone de un amplio conjunto de utilidades que le permiten escribir código con más facilidad.

Simplificado en un esquema, así es como funcionará el futuro código:

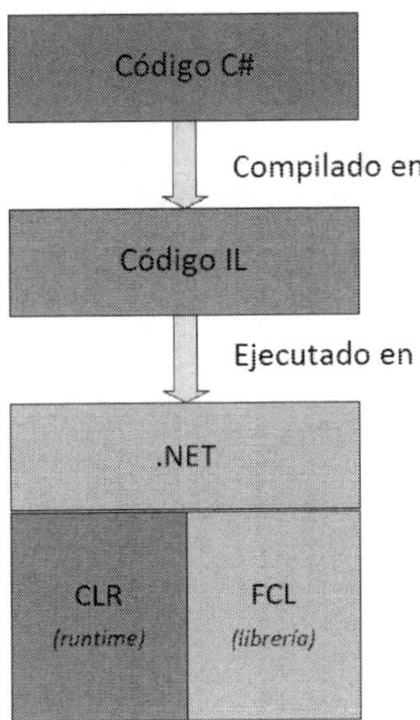

Esquema de la transformación del código C# en código ejecutable.

Armados con estos conocimientos nuevos y buenas herramientas, no esperaremos más y vamos a empezar por crear una aplicación nueva para descubrir la sintaxis del lenguaje.

Capítulo 2
Primer programa

1. Crear la primera aplicación C#

Ahora ha llegado el momento de pasar a la práctica y descubrir las bases de C# mediante la creación del primer programa. Como ya se ha mencionado en la introducción, para que no nos molesten los límites propios de un entorno específico, vamos a crear nuestra primera aplicación como si fuera una aplicación de consola. Más adelante en este libro estudiaremos otras formas de aplicaciones.

Teniendo en cuenta que hemos elegido usar Visual Studio Code, hay que pasar por la línea de comandos para crear una aplicación nueva.

Para crear la aplicación, hay que seguir las siguientes etapas:

- Cree una carpeta nueva en algún lugar del ordenador (en el escritorio, por ejemplo, o en una carpeta donde estén guardados sus documentos) y llámela «MiPrimeraAplicacion».
- Vaya a esta carpeta y abra Visual Studio Code en la raíz de dicha carpeta (en Windows, haga clic derecho en el explorador y luego seleccione **Abrir con Code**. En macOS o Linux, vaya a la carpeta con un terminal y escriba el comando "`code .`").

- Después de abrir la carpeta en Visual Studio Code, abra un terminal nuevo directamente integrado en el editor (haga clic en el menú superior **Terminal** y luego seleccione **New Terminal**).
- En el terminal que se ha abierto en la parte inferior de la pantalla, compruebe que se encuentra en la carpeta correcta y escriba el comando «`dotnet new console`».
- En el explorador de archivos de Visual Studio Code (o del sistema operativo), compruebe que los archivos se han creado correctamente.

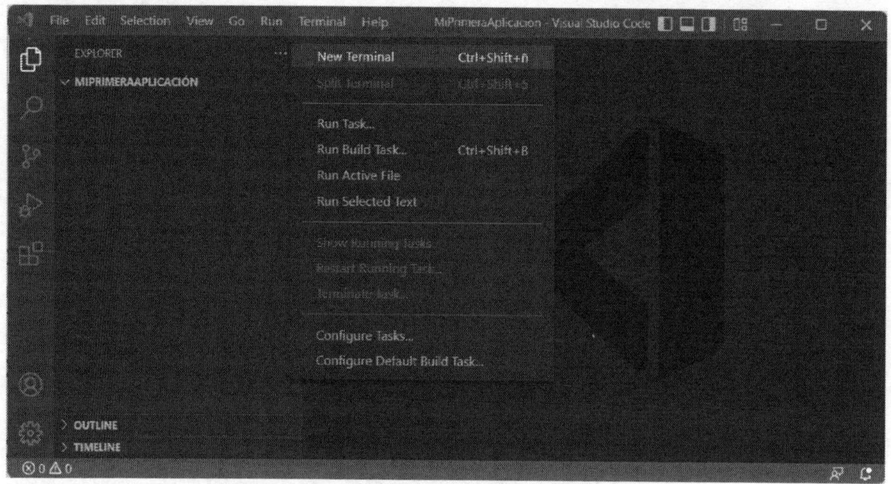

Creación de la aplicación C# con Visual Studio Code

Como consecuencia de esta operación, se ha creado una carpeta llamada **obj** y dos archivos: **MiPrimeraAplicacion.csproj** y **Program.cs**. La carpeta **obj** no nos interesa en el fondo, porque es una carpeta de trabajo temporal que usan las herramientas .NET para trabajar con la finalidad de generar la aplicación de manera definitiva. También es posible que se haya creado una carpeta **bin**; esta carpeta contiene los binarios de la aplicación C# compilados, que veremos más adelante en este libro.

El archivo con la extensión .csproj es el que describe el proyecto C#. Este archivo, estructurado mediante el lenguaje XML, contiene información útil para las herramientas de compilación, pero no afecta al lenguaje directamente. Por eso no vamos a estudiarlo en este momento.

El archivo Program.cs contiene código C#.

Observación

La extensión .cs para csharp es una convención que se usa para reconocer los archivos. No es obligatoria, pero sí muy recomendable, porque la extensión permitirá colocar algunos mecanismos automáticos, como definir qué herramienta abrirá el archivo en caso de doble clic, etc. Se recomienda mantener siempre la extensión .cs para todos los archivos de código C#.

Haciendo clic en él en el explorador de archivos disponible a la izquierda de Visual Studio Code (asegúrese de haber seleccionado correctamente el primer icono en la barra de iconos lateral situada a la izquierda), podemos ver el contenido de un archivo C# con la capacidad llamada coloreado de sintaxis:

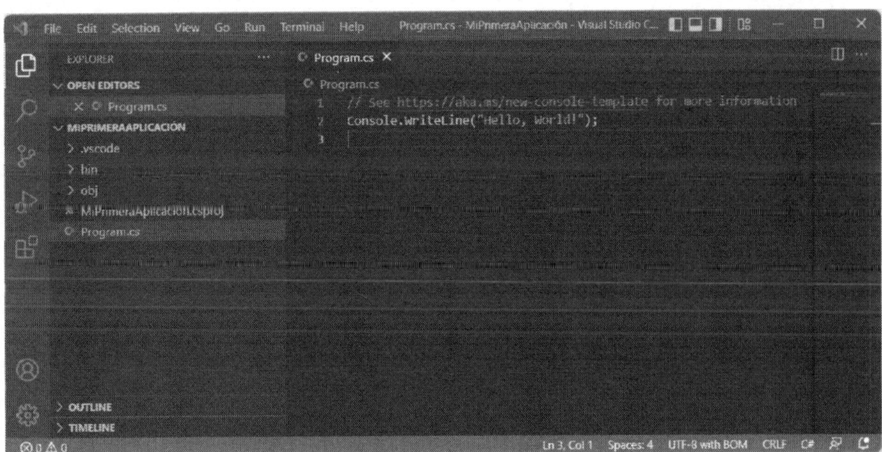

Apertura de un archivo C# con Visual Studio Code

De ahora en adelante, vamos a poder examinar el código fuente de este primer archivo para comprender las bases y el funcionamiento del lenguaje.

Observación

Es posible que Visual Studio Code muestre una pequeña ventana emergente en la parte inferior derecha para solicitar añadir ciertos elementos necesarios, como se muestra en la imagen inferior. Lo mejor es hacer clic en el botón ***Yes*** *para aprovechar al máximo la experiencia de desarrollo. Después de aceptar esta petición, en el sistema de archivos debería estar disponible una carpeta nueva llamada «.vscode».*

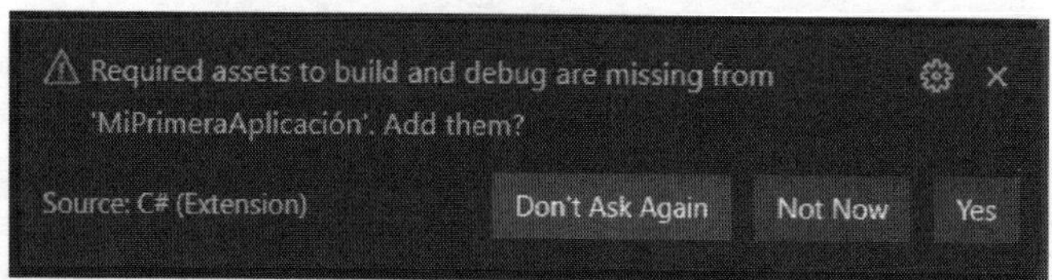

Ventana emergente que solicita añadir elementos mediante Visual Studio Code.

En todo el código C# que vamos a escribir, es posible añadir texto libre dentro de lo que se denomina un comentario (como es el caso de la primera línea de nuestro nuevo proyecto). Este comentario puede estar escrito en una línea en blanco o al final de la línea precedido por «//»:

```
// esta es una línea de comentario
Console.WriteLine("Hello World!"); // esto es un comentario
de final de línea
```

Esta sintaxis se usará en todo el código del libro para añadir información a determinadas líneas de código.

2. Comprender y escribir código C#

Nuestro programa de demostración es muy sencillo porque representa el programa de prueba tipo que se ejecuta habitualmente cuando se aprende un lenguaje: mostrar la frase «**Hello World!**».

Teniendo en cuenta que nuestra aplicación es una aplicación de consola, elegimos mostrar el texto directamente en la consola. Por eso la línea 2 contiene esta instrucción:

```
Console.WriteLine("Hello World!");
```

La primera cosa bastante fácil de identificar es la presencia obligatoria del carácter «`;`» al final de cada instrucción. En C#, es necesario separar las instrucciones mediante un punto y coma. Además, eso significa que, cuando el compilador no encuentra este carácter, lee las instrucciones de línea en línea hasta encontrarlo (es posible escribir código en varias líneas).

Aquí, siempre y cuando hable un poco de inglés, la instrucción es bastante sencilla. Usamos la consola para escribir una línea e indicamos entre paréntesis lo que queremos mostrar en esta línea en la consola. Esta manera de proceder se llama pasar parámetros a una función.

En concreto, si analizamos completamente esta instrucción:

- Recuperamos el objeto `Console`.
- Llamamos al método `WriteLine` en el objeto `Console`.
- Al método le pasamos como parámetro una cadena de caracteres que contiene «Hello World!».

Nos encontramos con varios conceptos importantes, que se aclararán a lo largo del libro. Pero esta instrucción simplemente consiste en llamar a un método en un objeto ya existente. También podrá comprobar que en su archivo no hay una declaración de la clase `Console`. Esto se debe al hecho de que esta última está definida en el espacio de nombres `System`, y a que este espacio de nombres se ha importado con una instrucción `using` al inicio de la página.

Otro elemento importante: para llamar a un método en un objeto, siempre se usa el punto como separador. Además, si se coloca en una línea vacía y escribe «`Console.`» (no olvide el punto), comprobará que Visual Studio Code muestra una lista desplegable en forma de ventana emergente. Esta lista contiene el conjunto de los métodos y de los datos disponibles dentro de la clase `Console` que puede usar:

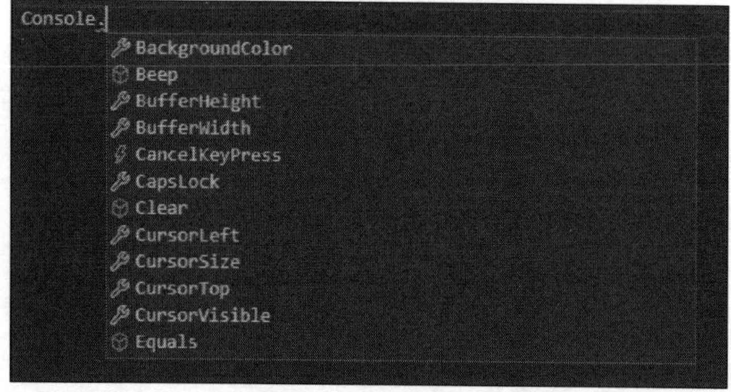

Lista de los elementos disponibles en la clase Console

Una iconografía permite distinguir el tipo de elemento:

- La llave inglesa indica que el elemento contiene un dato, al que se puede acceder en modo de lectura o escritura.
- El cubo indica un comportamiento, un método que se puede ejecutar.
- El relámpago indica un evento, algo que podría suceder en el elemento y que se quiere vigilar para actuar (este concepto se verá más adelante en el libro de manera detallada).

Podemos desplazarnos por esta lista mediante las flechas de dirección, y además se reduce según las letras que tecleemos. Este mecanismo se llama IntelliSense.

En el framework .NET hay muchas clases disponibles que se pueden usar, y todas ellas tiene muchos datos, métodos y eventos. Por eso es imposible hablar de todas en un libro como este. Sin embargo, debería haber entendido el concepto.

2.1 Conceptos de variable y constante

Cuando se empieza a escribir un método, puede ocurrir que queramos guardar un dato de manera temporal para trabajar. Hay dos maneras de guardar un dato, dependiendo de la probabilidad que tenga de evolucionar:

- Usamos una **variable** si queremos que el dato pueda cambiar durante las instrucciones.
- Usamos una **constante** si queremos definir un dato que no cambiará y permanecerá inmutable.

Como se ha indicado en el capítulo Introducción, el lenguaje C# está fuertemente tipado. Cuando se elige definir una variable o una constante, hay que respetar esta limitación. Además, también hay que darle un nombre, para usarla después, así como un valor inicial.

La sintaxis para declarar una variable es la siguiente:

```
TYPE NOMBRE_DE_LA_VARIABLE = VALOR;
```

La sintaxis para declarar una constante es muy similar, pero se distingue por la presencia de una palabra clave adicional, que es `const`:

```
const TYPE NOMBRE_DE_LA_CONSTANTE = VALOR;
```

Hay muchos tipos disponibles en el framework .NET (de hecho, cada clase es un tipo por sí misma y se puede usar como tal). Sin embargo, para empezar, vamos a usar los tipos denominados primitivos, es decir, que corresponden a datos sencillos (enteros o cadenas).

El tipo que permite guardar un entero es `int`, y el de las cadenas de caracteres es `string`. Un entero se puede introducir directamente, mientras que para definir una cadena de caracteres hay que rodearla de comillas. Por lo tanto, si queremos declarar una constante de tipo entero con el valor `42` y una variable de tipo cadena que, inicialmente, tiene el valor `Christophe`, escribiremos el siguiente código:

```
const int valor = 42;
string nombre = "Christophe";
```

Hay que respetar algunas normas cuando se da un nombre a una variable o a una constante:

- El nombre no puede empezar con un número.
- Solo debe contener números y letras. Incluso si es posible usar caracteres acentuados o especiales, se recomienda evitarlos.
- Diferencia mayúsculas y minúsculas. Así, la variable `Valor` es distinta de la variable `valor`.
- No se puede usar una palabra clave del lenguaje (por ejemplo: `int int = 1`). Hay una alternativa (añadirle al nombre de la variable el prefijo `@`), pero se recomienda evitarla en la medida de lo posible.
- No hay límite en cuanto a la longitud del nombre de una variable, pero se recomienda cuidar de que los nombres de variables sean consistentes y comprensibles.

Incluso si el lenguaje está fuertemente tipado, hay un atajo de escritura para las variables, que no le quita nada al tipo, pero permite que el compilador lo adivine basándose en el contexto. Hay que usar la palabra clave `var` en lugar del tipo y el compilador deduce el tipo a partir del valor. En ciertos casos, puede ser necesario el uso de un sufijo para indicarle al compilador el tipo específico deseado. Así, en el ejemplo siguiente, a raíz de la asignación de valor, el compilador deducirá los tipos:

```
var entero = 42;
var cadena = "cadena";
```

Observación

La palabra clave `var` está reservada para la declaración de variables y no se puede usar para las constantes. No es posible escribir `const var entero = 42`.

Ahora vamos a ver de cerca los tipos numéricos.

2.1.1 Tipos numéricos

Los tipos numéricos se usan para guardar valores en forma de números. Los números se guardan de distintas maneras:

- Tipos enteros con signo: son valores enteros que, como tienen signo, pueden ser negativos (el primer bit de memoria indica si el número es positivo o negativo).
- Tipos enteros sin signo: son valores enteros forzosamente positivos porque el bit de signo está ausente y solo podemos tener un número positivo. En cuestión de valores positivos, esto permite llegar dos veces más lejos que un entero con signo.
- Tipos reales: numéricos con transmisión de la definición de la transmisión de la parte decimal.

La tabla que aparece debajo muestra los tipos predefinidos por el lenguaje C#:

Tipo en C#	Tipo de sistema	Sufijo	Tamaño de la memoria	Rango
Tipos enteros con signo				
sbyte	System.Sbyte		8 bits	-2_7 hasta 2_7-1
short	System.Int16		16 bits	-2_{15} hasta 2_{15}-1
int	System.Int32		32 bits	-2_{31} hasta 2_{31}-1
long	System.Int64	L	64 bits	-2_{63} hasta 2_{63}-1
Tipos enteros sin signo				
byte	System.Byte		8 bits	0 hasta 2_8-1
ushort	System.UInt16		16 bits	0 hasta 2_{16}-1
uint	System.UInt32	U	32 bits	0 hasta 2_{32}-1
ulong	System.UInt64	UL	64 bits	0 hasta 2_{64}-1
Tipos reales				
float	System.Single	F	32 bits	± -10_{45} hasta ± 10_{38}

Tipo en C#	Tipo de sistema	Sufijo	Tamaño de la memoria	Rango
double	System.Double	D	64 bits	$\pm -10_{324}$ hasta $\pm 10_{308}$
decimal	System.Decimal	M	128 bits	$\pm -10_{28}$ hasta $\pm 10_{28}$

En esta tabla, los más habituales son `int`, `long` y `decimal`. Los otros tipos están presentes para casos avanzados más optimizados o para necesidades de interoperabilidad con otras aplicaciones que usan este tipo de valores.

Observación

Para los tipos reales, se recomienda usar los tipos `float` y `double` para cálculos matemáticos, mientras que `decimal` se recomienda para los cálculos financieros; este último es más preciso y permite evitar redondeos desafortunados.

Desde C# 7 se puede usar un separador visual (el guion bajo = «_») para escribir «números grandes» y hacer que se lean con más facilidad. Por ejemplo:

```
int unMillon = 1_000_000;
```

Para los más temerarios, C# 7 también permite definir valores escribiendo su equivalente binario con el prefijo `0b`:

```
int dieciseis = 0b0001_0000;
```

La tabla también detalla el sufijo de ciertos tipos, útiles para el compilador cuando se usa la palabra clave `var`. Por ejemplo:

```
var efectivo = 15.0m;
var largoEnteroSinSigno = 16UL;
```

Observación

Hay que señalar que, según la longitud del valor guardado, el compilador también puede deducir el tipo. Así, `var muyLargoEntero = 8915161984981156 51;` será un `long` de manera predeterminada en lugar de un `int`. Sin embargo, `int` seguirá siendo la elección predeterminada del compilador porque `var pequenoEntero = 2;` no se guardará en un `byte`.

Todos los tipos numéricos son tipos de valores, es decir, que su valor se informa de manera forzosa, incluso si el desarrollador no hace una asignación manual. En este caso, prima el valor predeterminado. Es imposible tener un tipo numérico con el valor NULL (valor específico que define ninguna o la ausencia total de información).

2.1.2 Tipos textuales

Hay dos tipos para representar los textos: char y string. El tipo string es un tipo más complejo porque representa una cadena de caracteres, mientras que char representa un único carácter.

Para definir una cadena de caracteres, es necesario usar comillas. En caso de usar char, prevalece el apóstrofo:

```
string cadena = "cadena";
char a = 'a';
```

También hay un matiz un poco especial entre estos dos tipos: char es, del mismo modo que los números, un tipo de valor, mientras que string es un tipo de referencia. A un tipo de referencia se le puede asignar NULL (entonces será equivalente a «nada»). El tipo string es, de manera subyacente, una tabla de varios char que, colocados todos juntos uno a continuación de otro, forman la cadena definida.

Algunos caracteres son específicos porque pueden representar algo que no se puede escribir con el teclado dentro del código. Para definir estos caracteres, hay que colocar una barra invertida «\» como prefijo. La barra invertida se considera un carácter de escape. La tabla de debajo incluye una lista de estos valores:

Carácter	Significado
\'	Apóstrofo (en un char)
\"	Comillas (en una string)
\\	Barra invertida
\0	Null
\a	Alerta (bip sonoro)

Carácter	Significado
\b	Volver atrás
\f	Salto de página
\n	Línea nueva
\r	Retorno de carro (intro)
\t	Tabulación (desplazamiento hacia la derecha)
\v	Tabulación vertical

Para terminar esta tabla, puede escribir cualquier carácter que se encuentra en la tabla Unicode usando `\u` seguido de su valor. Por ejemplo:

```
char copyright = '\u00A9';
string notasLegales = "\u00A9 2021 Christophe Mommer";
```

Para evitar errores de escritura, a veces es útil considerar la barra invertida como si fuera su propio valor (en lugar del carácter de escape). Un ejemplo sería el caso de una ruta de red con Windows, que usa la barra invertida como separador. Para eso, solo hay que colocarle el prefijo `@` a la cadena:

```
string rutaRed = "C:\\archivos\\miDocumento.docx";
```

se convierte en:

```
string rutaRed = @"C:\archivos\miDocumento.docx";
```

Cuando se usa el carácter `@`, las comillas se convierten en un separador básico de una cadena de caracteres. Además, ya no es posible usar los caracteres especiales que aparecen arriba. Para insertar unas comillas en una cadena de caracteres con el prefijo `@`, solo hay que duplicarlas:

```
string frase = @"Christophe ha dicho: ""Apréndase las tablas
de escape""";
```

Se pueden añadir valores de manera dinámica a una cadena gracias a la interpolación de cadenas de caracteres. Poniendo el carácter `$` como prefijo de la cadena, se puede insertar un valor en medio de una cadena usando las llaves:

```
string nombre = "Christophe";
string hola = $"Hola, me llamo {nombre}";
```

En el código anterior, el contenido de la variable `nombre` se colocará en lugar de `{nombre}` dentro de la variable `hola`. Esta escritura simplifica mucho la lectura de cadenas compuestas de varios datos y también mejora los rendimientos.

Desde C# 10, se puede hacer esta operación dentro de una constante, siempre y cuando el dato inyectado sea una constante:

```
const string nombre = "Christophe";
const string hola = $"Hola, me llamo {nombre}";

// el siguiente código provocará un error de compilación
string apellido = "Mommer";
const string holaCompleto = $"Hola, me llamo {nombre} {apellido}";
```

2.1.3 Valor booleano

Es el tipo de valor más básico en informática porque está directamente vinculado a un estado físico del hardware. Un booleano equivale a un bit lógico y solo puede tomar dos valores distintos: verdadero o falso (0 o 1). El tipo `bool` se usa para declarar este valor, con `true` (verdadero) o `false` (falso):

```
bool verdadero = true;
bool falso = false;
```

Un valor booleano es muy útil para hacer pruebas (que veremos más adelante), con la finalidad de seguir una rama de código en lugar de otra.

2.1.4 Operadores

Lo hemos visto durante todo este capítulo: la asignación de un valor se hace con ayuda de un sencillo signo de igual. Para evitar confusiones y con la finalidad de probar una igualdad y colocar el valor en un booleano, se usa el doble igual:

```
int edad = 20;
bool tenerVeinteAnos = edad == 20;
```

El doble igual solo funciona si los tipos son idénticos en ambos lados. Así, el siguiente código es ilegal y no se compila:

```
string datos = "lolo";
int entero = 42;
bool iguales = datos == entero;
```

Para probar la diferencia, hay que usar el carácter !=:

```
string datos = "lolo";
string datos2 = "lili";
bool diferente = datos != datos2;
```

Los operadores matemáticos también están disponibles para comparar los valores numéricos:

```
int edad = 20;
bool inferiorA20 = edad < 20;
bool inferiorOIgualA20 = edad <= 20;
bool superiorA20 = edad > 20;
bool superiorOIgualA20 = edad >= 20;
```

Estos operadores solo funcionan con los tipos numéricos.

Cuando se dispone de dos (o más) valores booleanos, puede ser útil combinarlos entre ellos gracias a los operadores **Y**, **O** y **O EXCLUSIVA**. Aquí puede ver varias tablas pequeñas que dan los resultados de las pruebas:

Y	**TRUE**	**FALSE**
TRUE	TRUE	FALSE
FALSE	FALSE	FALSE

O	**TRUE**	**FALSE**
TRUE	TRUE	TRUE
FALSE	TRUE	FALSE

O EXCLUSIVA	**TRUE**	**FALSE**
TRUE	FALSE	TRUE
FALSE	TRUE	FALSE

Los caracteres equivalentes a estas pruebas son los siguientes:

- Para **Y**: &
- Para **O**: |
- Para **O EXCLUSIVA**: ^

Se pueden duplicar los caracteres para no evaluar toda la condición. Por ejemplo, sabemos que con la prueba **Y**, si la primera condición equivale a `false`, es inútil probar la segunda condición porque el resultado es `false` por obligación. Así, duplicando el carácter, evitamos probar el segundo valor:

```
bool verdadero = true;
bool falso = false;
bool prueba = falso && verdadero;
```

En el código de arriba, solo se ha realizado la primera prueba (es decir, la prueba para saber si la variable falso es igual a `true`). Esto también es verdad para la O (duplicar el carácter también es verdad para la O). Con la O, la lógica es que, cuando una prueba devuelve verdadero, se puede seguir sin probar la siguiente.

La lógica detrás de estas pruebas es puramente binaria; estos operadores también se pueden usar para realizar operaciones en los tipos numéricos porque los bits se evaluarán uno a uno. Esta posibilidad es muy útil para operaciones múltiples similares al hardware. Por ejemplo, puede servir para realizar lo que se llama máscaras, especialmente para necesidades de red. Aquí se puede ver un ejemplo:

```
int resultado = 33 & 5;
```

Reducido a binario, 33 vale 0010 0001 y 5 vale 0000 0101. Si superponemos estos dos valores y aplicamos la lógica booleana Y, columna por columna, obtenemos este resultado:

0010 0001

0000 0101

———

0000 0001

Lo que da como resultado 1 (el resultado numérico en sí no es interesante).

Podemos realizar la misma operación con el operador **O** u **O EXCLUSIVA**, siempre siguiendo las tablas anteriores.

También existen los operadores matemáticos básicos para trabajar con los números:

```
int suma = 1 + 2;
int diferencia = 4 - 2;
int multiplicacion = 6 * 3;
int division = 18 / 3;
```

Asimismo, existe un operador un poco específico: módulo. Esta operación se traduce por el hecho de obtener en una variable el resto de la división entera:

```
int modulo = 19 % 3;
```

En el ejemplo anterior, el valor contenido en la variable `modulo` es 1, porque 19 / 3 = 6 * 3 + 1.

Estos operadores están limitados a usarse con los tipos numéricos, a excepción de +, que se puede usar para concatenar cadenas de caracteres:

```
string hola = "Hola ";
string nombre = "Christophe";
string frase = hola + nombre;
```

2.2 Otros tipos

El lenguaje C# presenta un conjunto de tipos que permiten crear diversas aplicaciones más completas unas que otras. Vamos a descubrir con rapidez algunas de ellas.

2.2.1 Almacenamiento de las fechas

Las fechas se usan con mucha frecuencia en las aplicaciones de gestión por múltiples motivos.

Si se desea guardar una fecha como tal, usaremos el tipo `DateTime`. Este tipo permite guardar la fecha (día, mes y año), y también los datos horarios (horas, minutos y segundos). Por ejemplo, para crear la fecha del 3 de enero de 2021 a las 19:50:23:

```
var fecha = new DateTime(2021, 1, 3, 19, 50, 23);
```

En .NET 6 hay doce constructores de esta clase para poder crear una fecha según sus necesidades. Es posible pasar información de hora o, por el contrario, ser extremadamente preciso dando los milisegundos.

La clase `DateTime` muestra la posibilidad de recuperar la fecha y la hora actual del sistema donde se ejecuta gracias a `Now`, y también en formato UTC gracias a `UtcNow`:

```
var ahora = DateTime.Now;
var ahoraUtc = DateTime.UtcNow;
```

Este concepto de fecha en formato UTC o local también se puede especificar dentro del constructor del objeto, lo que le indica al software que lo usa que la fecha se puede traducir o no a la hora local.

Otro tipo permite ser más preciso respecto al concepto de zona horaria: `DateTimeOffset`. Este último se convierte y se usa como el tipo `DateTime`, pero incluye datos respecto a la localidad de la hora almacenada. Se puede convertir un tipo en otro sin realizar una manipulación complicada:

```
var fecha = new DateTime(2021, 1, 3, 19, 50, 23);
var fechaOffset = new DateTimeOffset(fecha);
var fechaOffset2 = fecha;
```

Por supuesto, se pueden usar otros constructores disponibles para añadir más información dentro del dato creado de esta manera.

En general, si queremos guardar una fecha para un funcionamiento exclusivamente local o que se trabaje únicamente con fechas en UTC, el tipo `DateTime` es suficiente. Si queremos gestionar con más precisión las diferencias horarias de la fecha en función del uso horario, es preferible usar el tipo `DateTimeOffset`.

Desde .NET 6, se añadieron tipos nuevos para gestionar con más precisión solo el concepto de fecha o solo el concepto de tiempo. Así, hay dos tipos nuevos disponibles: `DateOnly` y `TimeOnly`.

DateOnly permite guardar solo una fecha ignorando la hora:

```
DateOnly d1 = new DateOnly(2021, 5, 31);
Console.WriteLine(d1.Year); // 2021
Console.WriteLine(d1.Month); // 5
Console.WriteLine(d1.Day); // 31
Console.WriteLine(d1.DayOfWeek); // Monday
```

Al igual que la clase DateTime, también ofrece métodos de manipulación del tiempo:

```
DateOnly d2 = d1.AddMonths(1); // añade 1 mes a la fecha
```

TimeOnly permite guardar un valor que representa un momento dado:

```
TimeOnly t1 = new TimeOnly(16, 30);
Console.WriteLine(t1.Hour); // 16
Console.WriteLine(t1.Minute); // 30
Console.WriteLine(t1.Second); // 0
```

2.2.2 Intervalos de tiempo

Cuando se trabaja con las fechas, puede ser útil calcular el tiempo que transcurre entre dos fechas. En C#, estos datos se almacenan en un TimeSpan. Se puede obtener una instancia de TimeSpan usando los métodos proporcionados por una instancia de tipo DateTime o usando el operador de resta, que permite calcula la diferencia entre dos fechas:

```
var pasado = new DateTime(2021, 1, 3, 18, 50, 23);
var futuro = new DateTime(2021, 1, 3, 19, 50, 23);
var time = futuro - pasado;
var time2 = futuro.Subtract(pasado);
```

En el código de arriba, las dos variables time y time2 tienen el mismo valor de TimeSpan porque las dos corresponden a la resta de una fecha respecto a otra.

Una vez obtenido un TimeSpan, podemos usarlo para extraer información como la cantidad de días, de horas o incluso de minutos. Con el ejemplo de arriba, nuestro TimeSpan tendrá una cantidad de horas igual a 1, pero 0 minutos, 0 segundos y 0 días.

Sin embargo, `TimeSpan` presenta la posibilidad de recuperar todas las unidades de tiempo de una escala dada. En el ejemplo de arriba, solo transcurre una hora; entonces el valor `time.Hour` es 1, pero `time.Minutes` es 0. Si queremos obtener todos los minutos que han transcurrido entre ambas (60), usamos `time.TotalMinutes` (y esto también es válido para las horas, segundos, milisegundos, etc.).

`TimeSpan` también es compatible con los operadores de suma y resta, de tal manera que se pueden sumar o restar dos períodos para obtener un tercero. Por último, también presenta una forma de construirse a partir de un valor fijo para una unidad de tiempo dada. Por ejemplo:

```
var treintaSegundos = TimeSpan.FromSeconds(30);
```

3. Analizar la estructura de un proyecto C#

Un archivo de código C# puede contener instrucciones diversas y variadas. Primero vamos a interesarnos por lo que hace la estructura de un archivo C# clásico, que no se puede ver desde nuestro proyecto de ejemplo porque este último usa el modelo de aplicación simplificado.

Observación

C# 9 ha contribuido en gran medida a simplificar la escritura de programas sencillos; por eso el programa generado al principio de este libro solo contiene una única instrucción. Para no alterar los conceptos elementales del código C#, trataremos esta idea al final de esta sección, cuando se haya adquirido el concepto de bloque.

3.1 El concepto de bloques

Para poder estudiar el concepto de bloques, vamos a tomar un archivo modelo de lo que era una aplicación de consola antes de la llegada de .NET 6 y de su modelo simplificado. Este es el código:

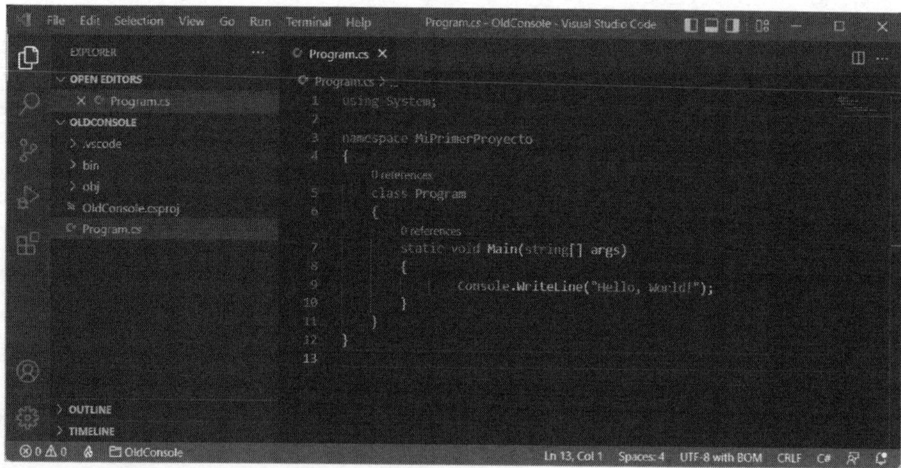

Aplicación de consola antes de .NET 6

Por supuesto, esto es más complejo que la versión que hemos conocido, pero contiene conceptos fundamentales sobre el código C#. En todas las explicaciones que siguen, vamos a tener en cuenta este código.

Algunos caracteres aparecen varias veces en un archivo de C# y deberán ser identificados de manera automática. Lo primero que vemos es que hay un sangrado (un desplazamiento de las líneas hacia la derecha) y que este sangrado está vinculado a los caracteres llave (« { » y « } »).

De manera bastante sencilla, el lenguaje C# funciona por bloques.

Un bloque es un fragmento de código que tiene su propio contexto y puede contener otros bloques.

Por ejemplo, en nuestro archivo vemos un primer bloque que empieza en la línea 4 y termina en la línea 12. Este bloque contiene otro bloque que empieza en la línea 6 y termina en la línea 11. Y, finalmente, este último también contiene otro bloque que va desde la línea 8 hasta la línea 10. La única instrucción que existe fuera de los bloques es la que aparece en la línea 1, que veremos más adelante.

El denominador común de todos estos bloques es que tienen «un título». Por ejemplo, para el bloque de mayor nivel, la línea 3 define lo que contiene y se puede considerar como «su título». Luego, para el segundo es la línea 5, y la línea 7 para el último.

Observación

En C# se pueden crear bloques sin un concepto de «título», pero tiene muy poco interés y solamente hará que la lectura sea compleja porque habrá un desplazamiento debido al sangrado.

Otro concepto importante que hay que conocer: lo que está definido dentro de un bloque solo existe dentro de él. Esto no quiere decir que sea imposible ver o usar los elementos definidos dentro de un bloque dado (hablaremos de eso más adelante, cuando tratemos los conceptos de ámbito), pero su definición solo existe dentro del marco del bloque donde se han creado inicialmente.

De la misma manera, no es posible crear la misma cosa dos veces dentro de un mismo bloque; esto provoca un error de compilación (lo que hace que sea imposible ejecutar la aplicación porque no se puede producir). Para ilustrar de manera concreta este ejemplo, no es posible colocarse entre las líneas 11 y 12 y escribir el siguiente código:

```
class Program
{
}
```

Visual Studio Code subrayará la palabra «`Program`» en rojo (exactamente como una falta de ortografía en Word). Es posible obtener la causa exacta de este error si se coloca el ratón sobre palabra subrayada, mediante una pequeña ventana emergente, como se puede ver en la captura de pantalla siguiente:

```
Program.cs 1 ×
Program.cs > {} MiPrimeraAplicacion > MiPrimeraAplicacion.Program
1   using System;
2
3   namespace MiPrimeraAplicacion
4   {
        0 references
5       class Program
6       {
            0 references
7           static void Main(string[] args)
8           {   class MiPrimeraAplicacion.Program
9
10          }   El espacio de nombres 'MiPrimeraAplicacion' ya contiene una
11      }       definición para 'Program' [OldConsole] csharp(CS0101)
        0 references  View Problem   No quick fixes available
12      class Program
13      {
14
15      }
16  }
17
```

Error cuando la clase Program está definida dos veces en el mismo bloque

Incluso si el mensaje de error puede parecer poco esclarecedor en este momento, indica de manera sencilla que el bloque definido desde la línea 4 hasta la 16 ya contiene una definición completamente idéntica de `Program`.

3.2 Significado de los bloques de código

Ahora que hemos adquirido el concepto, vamos a explicar en detalle los bloques principales con su título y significado para comprender mejor cuál es su utilidad.

3.2.1 El bloque de espacio de nombres

El primer bloque que aparece en nuestro programa es el del espacio de nombres; aquí se ilustra mediante el código:

```
namespace MiPrimeraAplicacion
{
...
}
```

En general, este bloque se declara en el primer nivel porque es el que suele contener a todos los demás. El lenguaje C# ordena y clasifica sus distintos elementos dentro de este concepto de espacio de nombres. Un espacio de nombres se puede considerar como una caja donde se pueden guardar objetos.

La declaración de un espacio de nombres responde de manera sistemática a la siguiente sintaxis:

```
namespace UN_ESPACIO_DE_NOMBRES
{
}
```

En concreto, la instrucción de la línea 3 declara un espacio de nombres llamado «`MiPrimeraAplicacion`», y todo lo que está entre las llaves después de esta declaración pertenece a este espacio de nombres.

Si nos encontramos fuera de este espacio de nombres, no es posible ver y usar directamente lo que se encuentra en el interior. Primero hay que importar el espacio de nombres. Esta etapa se traduce mediante una instrucción `using` colocada en el encabezado del archivo. Por ejemplo, en nuestro primer archivo de código ya aparece la importación del espacio de nombres `System`, definido en el framework .NET. Gracias a esta instrucción, podemos usar todos los objetos que se encuentran directamente dentro de este espacio de nombres. La sintaxis siempre es la misma:

```
using UN_ESPACIO_DE_NOMBRES;
```

Un espacio de nombres también puede contener subespacios de nombres. En concreto, las buenas prácticas quieren que en C# el nombre del proyecto sea el espacio de nombres predeterminado (aquí, en nuestro ejemplo, `MiPrimeraAplicacion` es el espacio de nombres raíz porque es el nombre de nuestro proyecto), y cada subcarpeta del proyecto se convierte en un subespacio de nombres donde cada nivel está separado por un punto.

Por ejemplo, si en nuestro proyecto creamos una carpeta que decidimos llamar «Carpeta», cada elemento creado dentro de esta carpeta tiene como espacio de nombres «`MiPrimeraAplicacion.`**`Carpeta`**». De la misma manera, si creamos otra carpeta dentro de esta última y la llamamos «`SubCarpeta`», el espacio de nombres de los elementos en este nivel de jerarquía es «`MiPrimeraAplicacion.`**`Carpeta.SubCarpeta`**». No se preocupe con la práctica lo hará de manera automática.

Usando este concepto de subespacio de nombres, podemos volver a definir un nombre de elemento que ya existe, siempre y cuando sus espacios de nombres sean distintos. Por ejemplo, podríamos tener un archivo Program.cs (incluso si no se recomienda) que contiene la definición presente en la línea 5 dentro del espacio de nombres `Carpeta`, y la misma definición dentro del espacio de nombres `SubCarpeta`, siempre conservando la que existe en la raíz, como se muestra en esta imagen:

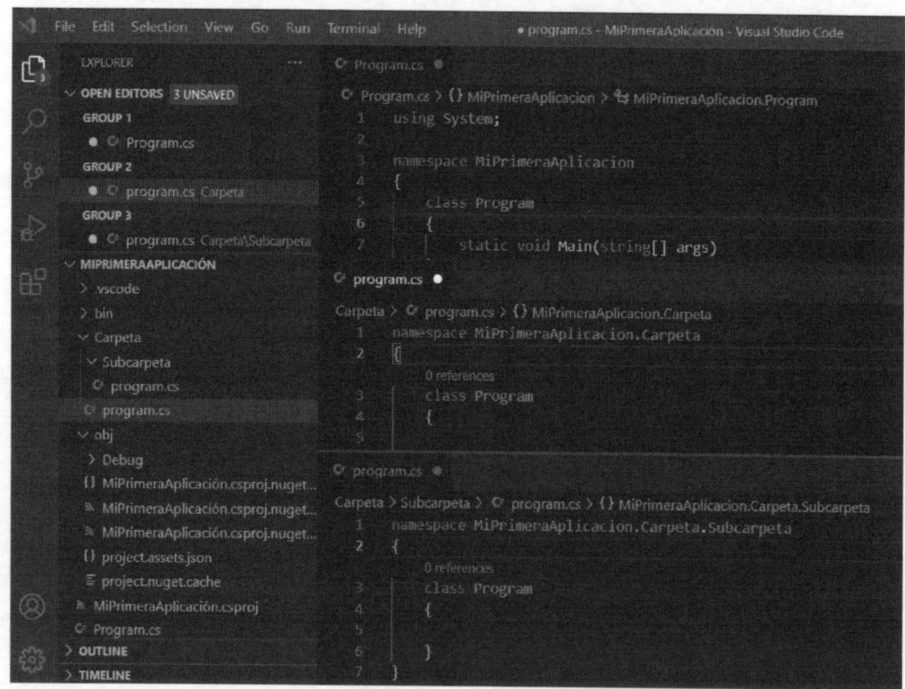

Misma definición en varios espacios de nombres distintos

Al inicio del archivo, una instrucción `using` importa un espacio de nombres. Desde C# 10 ya no es necesario colocar las mismas instrucciones al inicio de cada archivo fuente porque a partir de ahora se puede realizar un `using` global, es decir, se aplica para todos los archivos del proyecto. Para hacer eso, solo hay que usar la palabra clave `global` con la instrucción `using`:

```
using global System;
```

Al hacer esto, el espacio de nombres `System` está disponible para todos los archivos de código C# dentro del proyecto. Para conservar una cierta claridad, es muy recomendable tener un archivo dedicado a la importación de todos los espacios de nombres globales, con objeto de evitar tener que buscar dónde se ha importado un espacio de nombres de manera global. Para hacerlo, podríamos considerar un archivo de código C#, llamado **Usings.cs**, por ejemplo, situado en la raíz del proyecto, que solo contendría las instrucciones `using` globales.

En resumen: el punto esencial que debe recordar es que un espacio de nombres le permite estructurar la aplicación. Gracias a ellos, podrá definir cosas distintas sin que estos últimos entren en conflicto. La convención también quiere que la jerarquía de carpetas en el sistema de archivos tenga una correspondencia con el espacio de nombres dentro del código C#.

3.2.2 Definición de una clase

En otro capítulo más adelante, volveremos a hablar más detalladamente del concepto de clase para estudiar los conceptos de programación correspondientes. Por el momento, vamos a ver cómo funciona la declaración de una clase.

En nuestro archivo Program.cs, en la línea 5, tenemos la manera de definir una clase en C#. Relativamente sencilla, la sintaxis es la siguiente:

```
class NOMBRE_DE_LA_CLASE
```

Más tarde estudiaremos otras maneras de declarar una clase pero, por el momento, lo único que hay que saber sobre este concepto es que la clase es un segundo subelemento y que esta última generalmente está «ordenada» dentro de un espacio de nombres.

Cuando se ha definido una clase, la finalidad es almacenar en ella diversas cosas, como datos y comportamientos. Pronto estudiaremos este contenido de manera detallada, pero eso nos lleva directamente al estudio del siguiente bloque.

En resumen: usamos el bloque de tipo clase para definir un conjunto conectado de datos y de comportamientos que tienen un vínculo funcional.

3.2.3 Definición de un método

El último bloque presente en nuestro archivo de ejemplo es la definición de método, desde la línea 7 hasta la 9. Un método es un comportamiento que se puede ejecutar y que va a cumplir un conjunto de tareas.

Hay que considerar muchos elementos dentro de la declaración de sintaxis de un método; por eso no vamos a tratar este tema de forma inmediata, sino que simplemente vamos a usar el contenido de este método para comprender cómo se puede escribir código C# que «hace algo». Se puede añadir un conjunto muy significativo de cosas en el interior de un método, y hablaremos de esto justo después de esta sección.

En resumen: usamos el bloque de tipo método para definir un conjunto de instrucciones que se ejecutarán durante el lanzamiento de nuestra aplicación.

3.3 Declaración «top-level»

C# 9 introdujo una novedad que permite simplificar drásticamente la escritura de programas sencillos: *top-level statements*. Gracias a esta novedad es posible prescindir de los bloques vistos anteriormente. Se trata de la versión inicial de nuestra aplicación.

Esta novedad se ha convertido en el estándar durante la creación de aplicaciones nuevas (consola como ASP.NET). A pesar del hecho de que muchos elementos hayan «desaparecido» de esta nueva versión, estos existen. El compilador se encarga de generar automáticamente el código necesario.

Hay que considerar que el código que escribimos dentro del archivo Program.cs se encuentra directamente inyectado dentro del método `Main`, que ya está colocado dentro de la clase `Program`, todo ello dentro del espacio de nombres del proyecto. Hemos añadido este enfoque para permitir escribir con rapidez un programa sin una sintaxis compleja, al igual que lo permiten otros lenguajes (JavaScript, Python, etc.).

Observación

Sin embargo, preste atención: esta clase de archivo solo se puede obtener una única vez por proyecto y solo para el método `Main`.

4. Ejecutar un programa C#

Ahora es el momento de ver cómo se puede lanzar un programa C#. Nuestro programa de ejemplo solo muestra «Hello World!» en la consola, pero sería interesante verlo ejecutarse. Hay dos maneras de hacer esto.

4.1 Lanzar el programa con Visual Studio Code

Si ha visto la pequeña ventana emergente al principio que le ha pedido restaurar algunos elementos para su programa, Visual Studio Code ha detectado que escribe una aplicación C# y ha preparado las dependencias para que pueda ejecutarlo.

Para iniciar la aplicación, hay que ir a la pestaña **Run & Debug**, representada por este icono:

Icono Visual Studio Code para ejecutar el programa

Después de llegar a esta parte de la aplicación, el panel de la izquierda cambia para cargar lo que se llama el depurador (*debugger* en inglés). Gracias a esta herramienta, se puede lanzar una aplicación C# y observar, durante su ejecución, los valores de variables y analizar el desarrollo del código paso a paso.

En la parte superior del panel, normalmente hay una flecha pequeña de reproducción que permite iniciar el programa y vincularle el depurador:

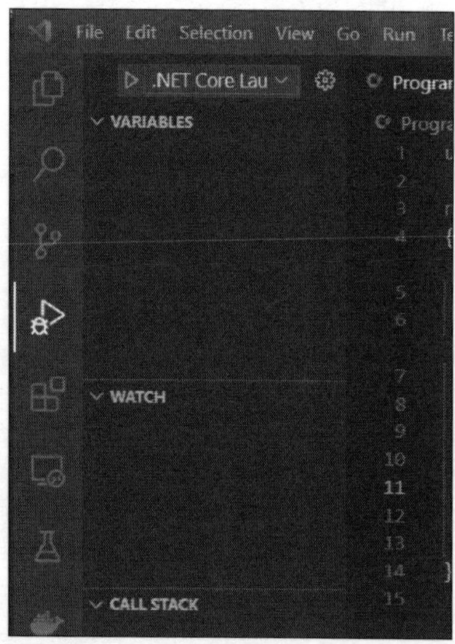

Flecha de lanzamiento de una aplicación con ayuda del depurador

Al hacer clic en la flecha, la aplicación se compila y se lanza en la parte inferior de Visual Studio Code. Puede ver el resultado de su programa C#, que en este momento se contenta con escribir «Hello World!».

Si no hay flecha de lanzamiento cuando va al depurador de Visual Studio Code, esto significa que el editor no es capaz de cargar automáticamente la tipología de proyecto. Es necesario pedirle que cree lo que necesita para permitir esta ejecución. En general, hay un botón azul con el texto **Run and Debug**, lo que permite crear un perfil que da la posibilidad de hacer la ejecución desde Visual Studio Code.

Al hacer clic en este botón, se abre una lista desplegable en la parte superior de la ventana, que solicita seleccionar la tecnología del proyecto:

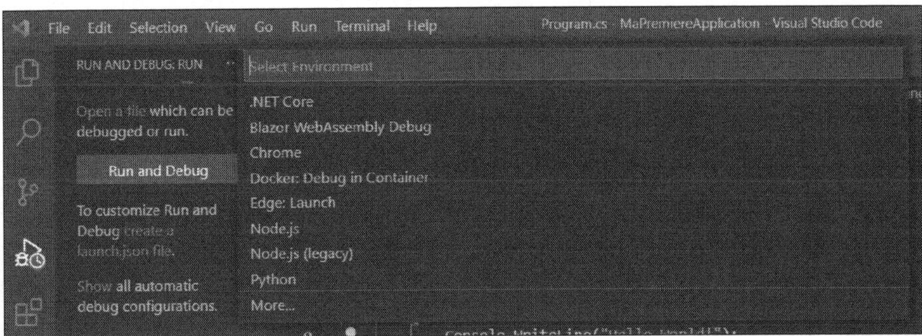

Creación del perfil de lanzamiento de la aplicación

Al hacer clic en la línea **.NET Core**, Visual Studio Code crea un archivo llamado launch.json y lo abre, permitiéndole personalizar la experiencia. No es necesario modificarlo de manera manual; puede cerrar la pestaña directamente para evitar cualquier error de manipulación. Además, puede comprobar que la aplicación se ha ejecutado (en la parte inferior de visual Studio Code) y que el panel de la izquierda ha cambiado para parecerse al que tiene la flecha pequeña. El perfil se ha creado correctamente y entonces puede reutilizarlo para los siguientes lanzamientos.

4.2 Lanzar desde la línea de comando

Visual Studio Code es una herramienta que hace ganar mucho tiempo porque automatiza una gran cantidad de etapas. Las aplicaciones de consola .NET Core normalmente se ejecutan con la ayuda de una línea de comando. Puede hacer la operación usted mismo, para obtener el mismo resultado, y sin salir de VS Code.

Al hacer clic en el menú superior **Terminal**, puede elegir la opción **New Terminal**. Entonces se abre una línea de comandos nueva en la parte inferior de Visual Studio Code. La ventaja de este planteamiento es que el terminal está abierto al mismo nivel que el explorador de archivos que muestra una lista de todos los archivos del proyecto. En general, al escribir el comando `ls`, debería encontrar el listado disponible en la parte izquierda de Visual Studio Code:

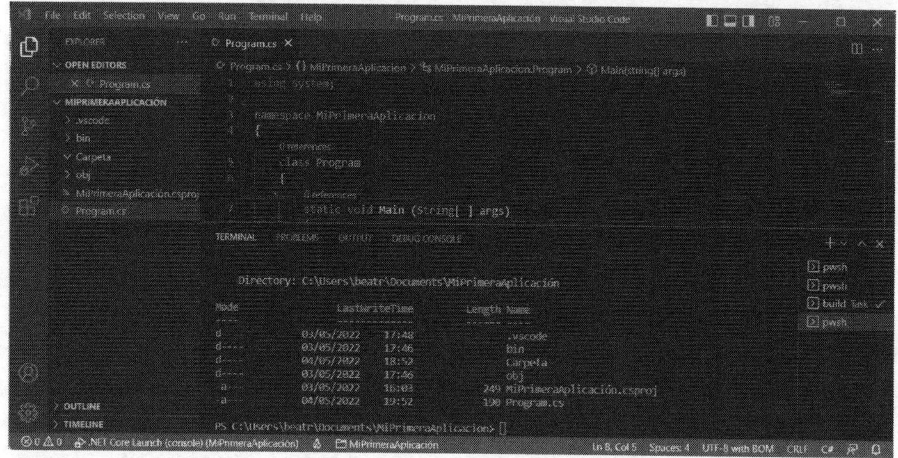

Lista de los archivos dentro del terminal integrado en Visual Studio Code

Si su consola muestra el archivo csproj en la lista, puede seguir. Sin embargo, si no lo ve, tiene que desplazarse por la jerarquía de carpetas (usando el comando `cd`) para colocarse dentro de la carpeta que contiene el archivo csproj. Los comandos no funcionarán si no encuentran este archivo.

Una vez situado en la carpeta correcta, puede escribir los comandos usando la CLI (*Command Line Interface* o interfaz de línea de comandos) incluida con el SDK .NET. Se la llama usando el comando `dotnet`, seguido de la acción deseada y de varios parámetros posibles. Ya la ha usado al principio del capítulo para crear su proyecto. Esta vez, en lugar de realizar la acción `new`, vamos a efectuar la acción `run`, que solicita la compilación seguida de la ejecución de la aplicación:

```
dotnet run
```

Dado que se trata de una aplicación de consola, la ejecución debería hacerse directamente dentro de la consola donde ha escrito el comando, mostrando el resultado esperado:

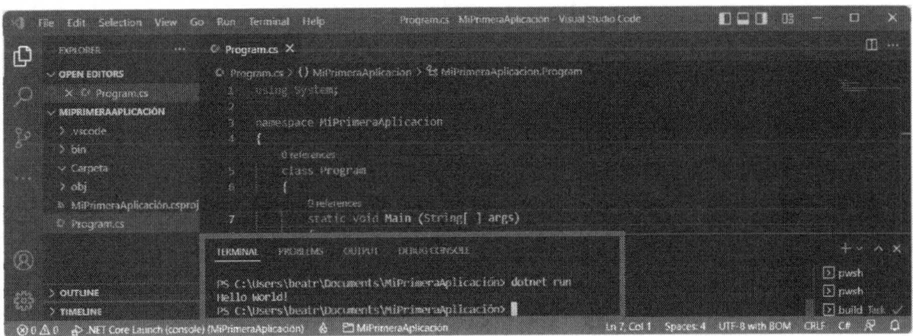

Resultado de la ejecución de la aplicación en línea de comandos

5. Ejercicio

Ahora que sabe cómo ejecutar una aplicación .NET y ha comprendido el principio del uso de variables, es el momento de hacer un ejercicio.

Principalmente, una variable sirve para recuperar valores emitidos por funciones. El método `Console.ReadLine` permite recuperar, bajo la forma de una cadena de caracteres, la escritura del usuario en la consola. Por el momento, no se pide ninguna comprobación de que la edad sea un entero.

5.1 Enunciado

Como ejercicio, esto es lo que se pide:

- Mostrar un texto de bienvenida.
- Pedirle al usuario que escriba su nombre.
- Pedirle al usuario que escriba su edad.
- Mostrar en la consola «Hola [NOMBRE], tiene [EDAD] años» sustituyendo los valores entre corchetes por los valores recuperados.

5.2 Solución

Para hacer este pequeño ejercicio, se puede crear una aplicación nueva o utilizar la que ya hemos creado. Usando los métodos `Console.ReadLine`, `Console.WriteLine` y variables, este ejercicio se puede hacer de la siguiente manera:

```
Console.WriteLine("Bienvenido a mi programa");
Console.WriteLine("Escriba su nombre y pulse 'Intro'");
string nombre = Console.ReadLine();
Console.WriteLine("Escriba su edad y pulse 'Intro'");
string edad = Console.ReadLine();
Console.WriteLine("Hola" + nombre + ", tiene " + edad + " años");
```

Resultado de la ejecución del primer ejercicio

En caso de dificultad, o si quiere obtener este código directamente, puede descargarlo desde el sitio ENI.

Capítulo 3
Programación orientada a objetos

1. Principios de la programación orientada a objetos

La programación orientada a objetos (POO) es un paradigma muy extendido en desarrollo de software. Viene a completar un panorama que ya es muy rico del paradigma de procedimientos, así como del funcional.

La POO es una forma de diseño de código que aspira a representar los datos y las acciones como si formaran parte de clases; ellas mismas se convierten en objetos durante su creación en memoria. Este concepto se ha presentado rápidamente en el capítulo anterior: ahora es el momento de comprender su funcionamiento de manera más detallada.

1.1 ¿Qué es una clase?

Una clase es un elemento del sistema que forma la aplicación. Una clase contiene dos tipos de elementos de código: datos y métodos (acciones). Hay que ver la clase como una caja donde se pueden ordenar estos dos tipos de elementos. Para hacer un paralelismo con la vida real, se puede comprender fácilmente que la definición de una clase se aplica a un objeto como un ordenador, por ejemplo. Este último dispone de métodos (encender, apagar, etc.), así como de propiedades (número de pantallas, cantidad de RAM, etc.).

De manera conceptual, una clase solo es una definición. Una vez que haya decidido lo que debe contener, así como sus métodos, es conveniente crearla. Esta acción se llama instanciación. Tras esta operación, se obtiene una instancia en memoria de un objeto.

Vamos a intentar hacer una comparación. Tomemos el ejemplo de una fábrica de producción de objetos de madera. Para poder crear un objeto, se necesita un plan (la clase). Gracias a este último, la máquina puede cortar y juntar los diversos elementos (datos y métodos) para crear una instancia nueva (instanciación).

En C#, la declaración de una clase se hace con la palabra clave `class`. Hay algunas posibles particularidades, especialmente el ámbito, que se estudiará justo después, en la sección ¿Qué se puede declarar dentro de una clase? - Métodos, así como el concepto de `static` y el de `partial`. La sintaxis completa de la declaración de una clase es la siguiente:

```
AMBITO [static] [partial] class NOMBRE_CLASE
```

El nombre de la clase es libre, pero debe cumplir dos normas:

- Solo puede contener caracteres alfanuméricos y el carácter guion bajo («_»).
- No puede empezar con un número.

Además de estas normas, es frecuente que los desarrolladores de C# respeten una convención de sintaxis: el uso de PascalCase. Esto indica que el nombre empieza con una mayúscula y cada palabra también empieza con una mayúscula, por ejemplo: `OrdenadorPortatil`. El lenguaje y el compilador no prohíben escribir `ordenadorPortatil`, `Ordenadorportatil` o incluso `ordenadorportatil`, pero estas distintas declaraciones no respetan la convención ampliamente admitida y aplicada.

En el programa de base creado en C# en el capítulo anterior, se ha creado una clase `Program` de manera predeterminada. Vemos que no hay concepto de ámbito ni de `partial` o `static`. Después de declararla, la clase define un bloque donde podemos implementar los datos y los métodos que necesita nuestro programa para funcionar.

1.1.1 Las clases en Visual Studio Code

Para crear una clase en Visual Studio Code, hay que seguir las etapas que aparecen a continuación:

- Colóquese en la carpeta donde quiere crear la clase nueva.
- Haga clic derecho para seleccionar el elemento de menú **Add a New C# Class File**.
- Escriba el nombre de la clase en la pequeña ventana emergente que se abre en la parte superior central de la pantalla (sin espacios ni caracteres especiales).
- Haga clic derecho y seleccione **New File**.
- Aparecerá un pequeño cuadro de texto en el lugar donde va a estar nuestro archivo. Escriba el nombre de la clase seguida de .cs de la siguiente manera: `nombre_clase.cs`.
- Luego pulse [Intro].

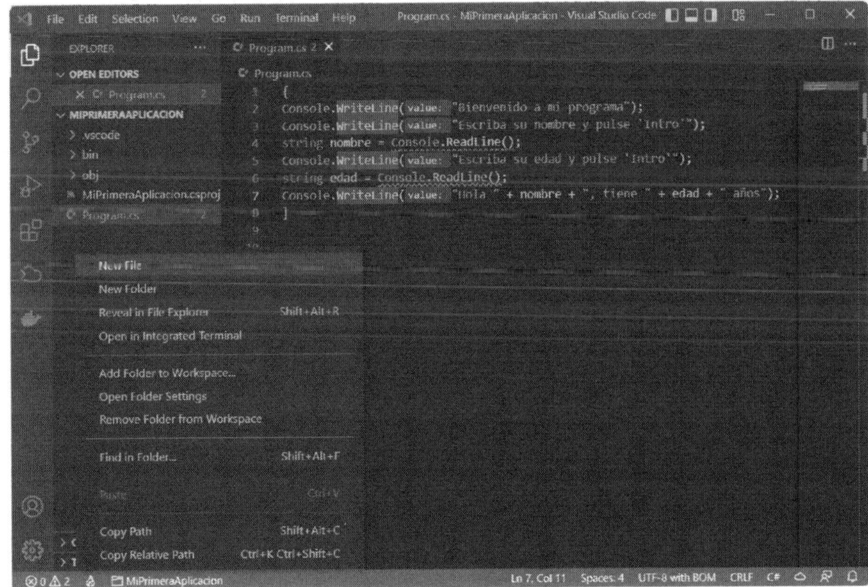

Añadir una clase nueva con Visual Studio Code

Después de estas operaciones, en la jerarquía situada a la izquierda hay disponible un archivo nuevo que lleva el nombre de la clase seguido por la extensión .cs. De manera predeterminada, este archivo estará abierto.

1.1.2 Herencia

Hay un concepto extremadamente importante en POO: la herencia. En general, si tiene la posibilidad de decir «X es una Y», el equivalente podría ser decir «X hereda de Y». X toma todas las propiedades y comportamientos de Y, pero los particulariza. Vamos a dar un ejemplo concreto: «Un Mac es un ordenador». Entonces, a nivel del desarrollo orientado a objetos, un Mac toma todas las propiedades y comportamientos de un ordenador, pero los particulariza aportando sus propios elementos. Entonces podemos decir que `Mac` es una clase hija de la clase `Ordenador`.

En C#, este concepto es central porque todos los elementos que va a manipular obviamente heredan de la clase `System.Object`, que define el comportamiento básico de cualquier objeto. Además, a diferencia de otros lenguajes (como C++), en C# no es posible heredar de varias clases: solo es posible tener una clase madre. Si no se especifica nada, la clase `System.Object` es la clase madre (no se requiere ninguna operación).

Observación

En C# no se puede heredar de varias clases. Por eso hay que elegir la clase de la que se hereda. Si no se especifica nada, el compilador genera automáticamente, de manera transparente, una herencia de la clase `System.Object`, como se describe con anterioridad. Si se especifica una herencia, eso no quiere decir que la clase herede de `System.Object` y de la clase heredada, sino solo de la clase heredada que sustituye a la herencia generada por el compilador.

Para indicar que una clase hereda de otra, hay que usar los dos puntos seguidos de la clase de la que se quiere heredar:

```
class Ordenador { }
class Mac : Ordenador { }
```

Por supuesto, el hecho de que una clase herede de otra no quiere decir que por fuerza tenga acceso a todo lo que se ha definido.

1.1.3 Encapsulación

Todo lo que se encuentra en el interior de una clase se traduce mediante un término muy específico: encapsulación. Con ella también aparece el concepto de ámbito, que indica cómo se perciben las cosas desde y hacia el exterior.

El ámbito permite definir la visibilidad de un elemento de una clase o de la misma clase. En total hay seis ámbitos en C#:

- `public`: define que el elemento es completamente visible dentro y fuera de la clase.
- `private`: define que el elemento solo es visible en el interior de la clase donde se ha declarado, mientras que es completamente invisible desde el exterior.
- `internal`: define que el elemento solo es visible dentro del proyecto donde se ha declarado. Podemos considerarlo como `public`, pero solo dentro de un único proyecto. Otro proyecto que usa nuestro proyecto no tiene conocimiento de un elemento que se ha declarado como `internal`. De manera predeterminada, si no explica el ámbito explícito en una clase, el compilador selecciona `internal`.
- `protected`: define que el elemento solo es visible en el interior de la clase donde se ha declarado y dentro de su jerarquía de clases hijas. Eso se une con el concepto de la herencia, que veremos más adelante en este capítulo.
- `protected internal`: define una suma entre `protected` e `internal`. Un elemento declarado con este ámbito es visible por la clase interesada, sus clases hijas y dentro del mismo proyecto. Esto también significa que, si se declara una clase hija fuera del proyecto actual, puede ver un elemento `protected internal`, al igual que cualquier clase del mismo proyecto puede acceder a ella.
- `Private protected`: define una intersección entre `protected` e `internal`. Un elemento declarado con este ámbito solo es visible por la clase interesada y por sus clases hijas definidas dentro del mismo proyecto. Esto quiere decir que una clase hija definida fuera del proyecto actual no podrá acceder a este elemento.

Con todos estos ámbitos, se puede crear la clase que corresponde con precisión a las necesidades de nuestra aplicación, para evitar que ciertos elementos no salgan del perímetro de la clase. Retomando nuestro ejemplo, consideramos que la clase `Ordenador` dispone de un booleano que indica si la máquina está encendida o no. Para evitar que nadie pueda manipular este dato de forma directa, lo definimos como públicamente accesible en modo de lectura, pero privado en lo que respecta a la escritura. Por ese motivo, solo un método público, como `Encender` o `Apagar`, puede cambiar el valor de este indicador. Así nos protegemos de un cambio de estado no controlado (porque se puede considerar que la operación de extinción necesita efectuar algunas operaciones con antelación antes de transferir el booleano).

1.2 ¿Qué se puede declarar dentro de una clase?

Como ya hemos visto, dentro de una clase se pueden declarar dos tipos de elementos: métodos (acciones) y datos. Vamos a ver rápidamente cómo declararlos.

1.2.1 Métodos

Un método traduce una acción que se puede invocar en la clase. Durante la declaración de un método, hay que hacerse las siguientes preguntas:

- ¿Se trata de una acción que se debería poder realizar desde el exterior o solo desde el interior de la clase?
- ¿Se espera que devuelva un valor característico?
- ¿Se necesita determinada información para funcionar?

Ya ha tenido una vista previa de una llamada de método en el primer capítulo, en la clase `Consola`: `WriteLine` y `ReadLine`. Estos dos métodos ilustran los puntos antes citados:

- `WriteLine` se debe poder llamar desde el exterior. No esperamos que devuelva un valor después de llamarla, pero se le transmite información que queremos escribir.

– `ReadLine` también se debe poder llamar desde el exterior. Necesitamos recuperar solo la información introducida por el usuario, sin necesidad de transmitirle una información cualquiera.

La sintaxis de declaración de un método dentro de una clase es la siguiente:

```
ÁMBITO [static] TIPO_RETORNO NOMBRE_MÉTODO([PARÁMETROS])
```

El tipo de retorno debe corresponder a un tipo C# conocido. Por ejemplo, si queremos crear un método que realiza la suma de dos números y devuelve el resultado, todo accesible de manera pública, lo declaramos de la siguiente manera:

```
public int Addition(int primero, int segundo) {}
```

Observación

Cuando se declara un método con un valor de retorno sin escribir el contenido del método, el compilador emite un error de compilación. Esto se debe al hecho de que es obligatorio que cada método que devuelve un resultado contenga una instrucción `return`.

Cuando un método debe devolver un valor, hay que usar la palabra clave `return` para definir el valor que se desea devolver. La instrucción `return` se puede usar directamente con un valor o utilizar una variable del tipo de retorno esperado. En el caso del ejemplo anterior, son válidas estas dos maneras de escribir el método:

```
public int Suma(int primero, int segundo)
{
    return primero + segundo;
}
public int Suma(int primero, int segundo)
{
    int resultado = primero + segundo;
    return resultado;
}
```

Es importante que recuerde: del mismo modo que hemos visto en el capítulo anterior con la declaración de clases del mismo nombre dentro del mismo espacio nombres, no se puede declarar dos veces el mismo método dentro de una misma clase. Si los nombres son idénticos y los parámetros también lo son, entonces el compilador C# considera que es el mismo método. El valor de retorno no constituye un elemento distintivo. Así, la declaración de los dos métodos siguientes dentro de la misma clase es imposible y eso provoca un error de compilación:

```
public int Suma (int primero, int segundo)
{
    return primero + segundo;
}
public void Suma (int primero, int segundo)
{
}
```

Observación

Como puede comprobar en el ejemplo anterior, la palabra clave `void` especifica que el método no devuelve ningún resultado. El concepto de tipo de retorno es obligatorio y hay que usar esta palabra clave para indicar cuándo no lo hay.

Si el método no toma parámetros, la presencia de paréntesis que se abren y se cierran unidos al nombre del método es, a pesar de todo, necesaria para indicar que se trata de un método:

```
public void MiMetodo()
{
}
```

Dentro de un método que declara su propio bloque, se pueden declarar variables y constantes que se consideran únicamente locales (es decir, visibles dentro del método y de todos sus subbloques, pero invisibles dentro de los bloques padres, directos o indirectos).

1.2.2 Declarar un dato

Hay dos maneras de declarar un dato dentro de una clase: mediante una propiedad o mediante un miembro. Las dos funcionan, pero no responden a las mismas necesidades.

El caso más sencillo es la declaración de un miembro. Un miembro de una clase se define de la siguiente manera:

```
ÁMBITO TIPO NOMBRE_DEL_MIEMBRO;
```

Observación

El concepto de ámbito no es obligatorio y es posible omitirlo. En ausencia de la definición de ámbito, se usa `private`. Sin embargo, es muy recomendable añadirla por motivos de claridad.

Por ejemplo, si en nuestra clase `Ordenador` se quiere almacenar el año de compra bajo la forma de un entero accesible para todos, podemos crear un miembro como este:

```
public int anoCompra;
```

Como se puede ver aquí arriba, la convención de sintaxis recomendada para la escritura de los miembros es *lower camel casing*. Esta convención indica que la primera letra es minúscula, pero todas las palabras siguientes empiezan por su propia mayúscula.

Una vez declarado, podemos acceder a nuestro miembro según su ámbito, desde los métodos de la clase o desde el exterior. La ventaja de este enfoque es que se trata de una variable global dentro de la clase, accesible para todos los métodos presentes en el interior. Sin embargo, un miembro no permite la distinción entre un derecho de lectura y de escritura. Cuando se declara un miembro con un ámbito dado, es accesible en modo de lectura y de escritura. Se puede limitar la escritura indicando que un miembro se puede definir solo durante la fase inicial de creación de la clase. Esta palabra clave es `readonly`. Así, si queremos que el año de compra solo se pueda introducir durante la instanciación de la clase, hay que escribir el siguiente código:

```
public readonly int anoCompra;
```

Para mitigar esta limitación, hay otra manera de almacenar datos dentro de una clase: las propiedades. Este concepto un poco particular corresponde a un dato que se expone mediante un método de lectura (`get`) y de escritura (`set`).

La sintaxis es la siguiente:

```
ÁMBITO TIPO NOMBRE_PROPRIEDAD { ÁMBITO get { } ÁMBITO set { } }
```

Este planteamiento tiene múltiples ventajas:

- Se puede definir un ámbito distinto para la lectura y la escritura. Se puede considerar fácilmente una propiedad que sea accesible de manera pública en modo de lectura, pero solo de manera privada en modo de escritura.
- `get` y `set` son métodos un poco particulares y, por eso, se puede escribir un cuerpo de método. Del mismo modo, con el fin de aumentar la productividad, se puede usar la propiedad automática, que veremos un poco más adelante.

El planteamiento de una propiedad, en un principio, es actuar como proxy hacia un miembro para poder guiar su encapsulación. Por ejemplo, vamos a imaginar que queremos transformar el año de compra definido arriba como dato únicamente accesible en modo de lectura de forma pública. Inicialmente, hay que hacer que el miembro sea privado y, en una segunda fase, crear una propiedad que permita gestionar nuestras limitaciones:

```
private int anoCompra;
public int AnoCompra
{
    get { return anoCompra; }
    private set { anoCompra = value; }
}
```

Analizamos este bloque de código para comprender su funcionamiento. La propiedad se ha definido de manera pública en el sentido global. Esto quiere decir que, en ausencia de ámbito en el `get` o el `set`, se aplicará la propiedad de manera predeterminada. También constatamos que la convención de sintaxis para una propiedad es la misma que para una clase: Pascal Casing.

Después, en el bloque definido mediante el `get` de una propiedad, se necesita una instrucción `return` que devuelva el valor deseado, del mismo tipo que la propiedad. Esto también permite realizar una transformación cuando se quiere devolver un dato de otro valor.

A continuación, viene el bloque definido mediante el `set`. Aquí, hemos decidido que la escritura debía permanecer privada, es decir, accesible solo desde los métodos de la clase. Para eso, hemos definido el ámbito, colocado justo antes de la palabra clave `set`. En este escenario no hay ninguna necesidad de devolver cualquier valor. Sin embargo, el `set` expone un parámetro particular, representado por la palabra clave `value`. Esta contiene el valor que se ha asignado a la propiedad, y que podemos asignar a nuestro miembro.

Esta propiedad es un ejemplo bastante clásico, y es completamente posible optimizar su escritura. Desde la versión 3 del lenguaje C#, existe el concepto de propiedad automática. Esto significa que, escribiendo solamente las palabras clave `get` y `set` (si hiciera falta, con sus ámbitos respectivos) sin darles cuerpo, el compilador C# generará automáticamente el código en el interior, así como el miembro asociado. Para retomar el ejemplo de arriba, con la propiedad automática, tendríamos el código siguiente:

```
public int AnoCompra { get; private set; }
```

La ganancia de productividad es inmediata y consigue un resultado completamente idéntico. En cambio, hay que constatar que, cuando falta el cuerpo, no es posible personalizar la transformación con las propiedades automáticas.

Aquí puede ver algunas pequeñas aclaraciones adicionales sobre las propiedades:

- El ámbito global debe ser más permisivo que el ámbito de `get` o de `set`. Por ejemplo, no es posible tener una propiedad con un ámbito limitado por la palabra clave `protected` y al mismo tiempo hacerlo accesible en modo lectura de manera pública.
- El uso de `get` y `set` no es obligatorio. Se puede tener una propiedad con solo un `get` (eso significa que está en modo de solo lectura, es decir, que solo se la puede asignar a la instanciación de la clase). La lógica es la misma con un `set`, pero su interés es escaso.

- Desde C# 9, hay una palabra clave nueva que puede sustituir a `set`: `init`. Esta última significa que la propiedad se puede definir únicamente en la instanciación de la clase, pero de manera más flexible que en ausencia de `set`. Abordaremos este concepto en la sección Instanciar una clase.
- Desde C# 6, es posible asignar el valor de una propiedad después de su declaración (siempre que esta propiedad sea accesible en modo de escritura). Para hacerlo, solo hay que colocar la asignación después de la declaración, como en el bloque siguiente:

```
public int AnoCompra { get; set; } = 2020;
```

Es posible mostrar un descriptor de acceso un poco especial: una propiedad indexada. Esto permite acceder a un valor de la clase como si esta fuera una colección indexada (estudiaremos las colecciones en el capítulo Algoritmia). Para hacerlo, hay que definir cuál será el tipo de dato que permitirá acceder a una información de la clase.

Por ejemplo, podemos imaginar una clase que describe un garaje, donde se puede acceder a cada coche que contiene usando el número de plaza dentro del garaje. En este caso, el tipo del valor acceso es un `int` porque se trata de un número entero.

La sintaxis para declarar este descriptor de acceso es un poco específica: se indica el tipo de retorno, seguido por la palabra clave `this` con corchetes. Dentro de estos últimos, se describe la declaración de la variable de acceso (con su tipo y su nombre).

Para ilustrar esto con el ejemplo anterior, tendríamos la siguiente declaración:

```
public Coche this[int numeroPlaza]
{
    get { ... }
}
```

1.3 Instanciar una clase

Ahora que sabemos cómo definir una clase, la siguiente etapa consiste en descubrir cómo instanciarla.

1.3.1 El constructor

Antes de ver cómo proceder, hay que comprender el principio detrás de la instanciación. Todas las clases contienen lo que se llama un constructor. Se trata de un método particular, al que se llama de manera automática y obligatoria cuando se instancia una clase. La sintaxis del constructor también es distinta de la de los métodos clásicos; un constructor no puede tener tipo de retorno y su nombre debe corresponder al nombre de la clase:

```
ÁMBITO NOMBRE_DE_LA_CLASE(PARÁMETROS)
```

Por ejemplo, la sintaxis de declaración del constructor de nuestra clase `Ordenador` sería:

```
public Ordenador() { }
```

El constructor declarado aquí arriba en realidad es muy poco útil. En efecto, el compilador C#, en ausencia de una definición cualquiera de un constructor dentro de la clase, en todos los casos habría generado un garante para estas características: `public` y sin parámetros.

Es útil definir un constructor en el caso de que deseemos tener un ámbito de método distinto, o incluso poder transmitirle parámetros.

Observación

Cuando se ha definido un constructor particular mediante el desarrollador, el compilador C# no genera un constructor public sin parámetro porque eso podría alterar el código. De hecho, sería una pena haber definido un constructor `private`, y luego que el compilador añadiera un constructor `public` que modificaría el comportamiento inicialmente deseado por el desarrollador.

Por ejemplo, imaginemos que queremos crear un ordenador informándole directamente de su año de compra (comprender: es imposible crear un ordenador sin especificar este valor):

```
public Ordenador(int anoCompra)
{
    AnoCompra = anoCompra;
}
```

En caso de herencia de otra clase, se llama al constructor de la clase de base antes de llamar al constructor de la clase hija. Por ejemplo, si tenemos las siguientes clases:

```
public class Ordenador
{
    public Ordenador()
    {
         Console.WriteLine("Construcción Ordenador");
    }
}
public class Mac : Ordenador
{
    public Mac ()
    {
         Console.WriteLine("Construcción Mac");
    }

}
```

durante la instanciación de la clase `Mac`, la consola muestra:

Construcción Ordenador
Construcción Mac

Si el constructor de la clase padre necesita un parámetro, es posible pasárselo añadiendo, después de la definición del constructor de la clase hija, la llamada al constructor padre usando la palabra clave `base`:

```
public class Ordenador
{
    public Ordenador(int anoCompra)
    {
         Console.WriteLine("Construcción Ordenador");
```

```
    }
}
public class Mac : Ordenador
{
    public Mac() : base(2020)
    {
        Console.WriteLine("Construcción Mac");
    }

}
```

Observación

Esta llamada es obligatoria si el constructor padre tiene al menos un parámetro. La lógica predeterminada es que el constructor de una clase hija toma al menos los mismos parámetros que el padre, posiblemente más.

Teóricamente, no hay límite para la cantidad de parámetros que puede aceptar un constructor. Sin embargo, hay que permanecer atentos a esta cuestión porque cada una de las futuras instanciaciones necesitará completarlos. Por eso se recomienda no sobrepasar los cinco parámetros para un constructor.

Ahora que se ha definido un constructor, nos falta ver cómo llamar a este último de manera efectiva para instanciar una clase.

1.3.2 Instanciación con la palabra clave new

Para crear una instancia nueva de una clase en memoria, se ha reservado una palabra clave: `new`. Gracias a esta última, es posible llamar al constructor de la clase. Así, para crear una instancia nueva de nuestra clase `Ordenador` y guardarla en una variable, la sintaxis que se debe usar es la siguiente:

```
Ordenador orde = new Ordenador(2020);
```

En el código de arriba, hemos creado una variable llamada `orde`, que contiene una instancia nueva de la clase `Ordenador`, y hemos pasado el valor `2020` como parámetro de constructor para el año de compra. Si el constructor no aceptara parámetros, la llamada sería la siguiente:

```
Mac mac = new Mac();
```

Observación

En los dos ejemplos de arriba, es posible sustituir el tipo de la variable por la palabra clave `var` para ir más rápido. El código es lo bastante explícito para que el lector del código dude del tipo de la variable. En cuanto al compilador, este sustituirá la palabra clave `var` por el tipo explícito porque pese a todo C# sigue siendo un lenguaje fuertemente tipado.

Desde la versión 9 del lenguaje C#, ya no es necesario volver a especificar el tipo después de `new`. La nueva sintaxis es más concisa, pero necesita que se especifique el tipo a nivel de la variable:

```
Ordenador orde = new(2020);
Mac mac = new();
```

Así, no es posible escribir:

```
var orde = new();
```

porque el compilador no sabrá cuál es el tipo que desea la instalación. Por eso hay que elegir entre la nueva sintaxis `new` o el uso de la palabra clave `var`.

De la misma manera, C# ofrece una posibilidad de escritura para asignar directamente las propiedades que se pueden definir después de la creación. Esta sintaxis un poco particular se llama *object initializer*. Consideramos la siguiente clase:

```
public class Persona
{
    public string Nombre { get; set; }
    public string Apellido { get; set; }
    public bool EsVIP { get; private set; }
}
```

En la clase que aparece arriba, una `Persona` contine un nombre y un apellido accesibles de manera pública en modo de lectura y de escritura, y un booleano que indica si es VIP. El booleano solo se puede definir dentro de la clase. Por eso, si queremos usar *object initializer*, no podremos asignar el valor booleano, solo el nombre y el apellido:

```
var persona = new Persona { Nombre = "Christophe",
Apellido = "Mommer" };
```

Observación

Dado que `set` es accesible de manera pública en modo de escritura, es posible modificar estos valores después de la creación (haciendo `persona.Apellido = "Lolo"`). Aquí vuelve a intervenir la palabra clave introducido por C# 9 `init`, que permite al constructor o a la sintaxis object initializer limitar la asignación de la propiedad a la creación.

Debido a la herencia, se puede almacenar un tipo más específico dentro de un tipo más genérico. Eso es posible en la instanciación, pero también en las transferencias de parámetros. Vamos a interesarnos por este concepto, llamado polimorfismo.

1.4 Polimorfismo

La palabra polimorfismo procede de una concatenación de dos términos: poli (significa múltiple) y morfo (significa forma). Esto significa que un objeto puede tomar varias formas.

Concretamente, haciendo un vínculo de herencia, se declara que «si Y hereda de X, entonces Y es un X». Retomando nuestro ejemplo, `Mac` hereda de `Ordenador`, entonces un `Mac` es un `Ordenador`.

Esto también quiere decir que se puede usar un `Mac` en todas las posiciones donde se espera un `Ordenador`. El `Mac` se «rebajará» al nivel de un `Ordenador` (no veremos sus características específicas, sino solo lo que tiene en común con el resto de los ordenadores).

Y esto también es válido para las variables:

```
Ordenador mac = new Mac();
```

Esta escritura solo es posible porque `Mac` hereda de la clase `Ordenador`. Sin embargo, la operación inversa no es posible. Así, el siguiente código no se compilará:

```
Mac mac = new Ordenador();
```

Por supuesto, el concepto de polimorfismo también se puede aplicar a las variables y a los parámetros. Se puede imaginar una clase nueva `Persona` que posee un método `EscribirUnLibroEnCSharp`, que requiere una instancia de `Ordenador` para funcionar:

```
public class Persona
{
    public void EscribirUnLibroenCSharp(Ordenador orde)
    {
    }
}
```

Así, se puede crear esta `Persona` nueva y pasarle cualquier `Ordenador`:

```
var christophe = new Persona();
christophe.EscribirUnLibroEnCSharp(new Ordenador(2020));
christophe.EscribirUnLibroEnCSharp(new Mac());
```

Este código es completamente funcional en los dos casos. En compensación, a semejanza de las variables, cuando se espera un tipo muy específico, es necesario proporcionarlo. Así, el siguiente código no funciona:

```
public class Persona
{
    public void CrearUnaAplicaciónIPhone(Mac mac) { }
}
var christophe = new Persona();
christophe.CrearUnaAplicacionIPhone(new Mac());
christophe.CrearUnaAplicacionIPhone(new Ordenador()); // aquí el
compilador presentará un error
```

Sin embargo, es imposible llamar a este método con una instancia de la clase `Ordenador` porque se espera un tipo más específico.

2. Conceptos avanzados

Después de haber visto los conceptos básicos de la POO, es el momento de descubrir algunos conceptos avanzados.

2.1 Herencia avanzada

Cuando hemos abordado la cuestión de la herencia, lo hemos hecho a través del prisma de una clase Y que hereda de otra clase X; estas dos clases se pueden crear.

2.1.1 Métodos virtuales

Cuando una clase hereda de otra, esta disfruta de manera natural de los métodos y de los datos presentes en la clase madre. Sin embargo, para algunas necesidades puede suceder que la clase hija tenga que redefinir algunos métodos. Para que eso sea posible, la clase madre debe declarar estos métodos como virtuales, lo que significa que definen un funcionamiento concreto, pero sigue siendo posible sobrecargar este funcionamiento. En este funcionamiento intervienen dos palabras clave:

- A nivel de la clase madre, es necesario añadir la palabra clave `virtual` antes del nombre del método.
- A nivel de la clase hija, es necesario añadir la palabra clave `override` antes del nombre del método que se quiere sustituir.

En concreto, imaginemos que nuestra clase `Ordenador` dispone de un método `Encender`, que muestra «Encendido en proceso...», pero se quiere mostrar «Su Mac se inicia...» dentro del caso de la clase `Mac`. Hay varias maneras de responder a esta necesidad; una posible solución es sustituir el contenido del método `Encender`:

```
public class Ordenador
{
    public virtual void Encender()
    {
        Console.WriteLine("Encendido en proceso...");
    }
}
```

```
public class Mac : Ordenador
{
    public override void Encender()
    {
        Console.WriteLine("Su Mac se inicia...");
    }
}
```

Cuando se llama al método `Encender` de un objeto que resulta ser un `Mac`, la consola muestra «Su Mac se inicia...», y lo mismo en el caso donde se ha usado el concepto de polimorfismo:

```
Ordenador mac = new Mac();
mac.Encender();
```

Esto se debe sencillamente al hecho de que la variable es de tipo `Ordenador`, pero se ha colocado una instancia de `Mac` dentro. Durante la llamada, se invoca el método del tipo más preciso. Gracias a eso, tiene la posibilidad de usar un método que trabaja con un tipo genérico, llamando a un método común. Así, cada implementación puede conocer sus propias particularidades sin que eso altere la ejecución.

Sin embargo, con este planteamiento, es necesario que la clase madre declare estos métodos como virtuales y que la clase hija esté informada de ello para que pueda usar la palabra clave `override`. Otra manera de acercarse a esta especificación es usar una clase abstracta.

2.1.2 Clase abstracta

En POO, se puede definir una clase de manera abstracta, es decir, que no puede ser instanciada (por eso es imposible llamar a un `new` arriba). El principio de esta clase es mutualizar propiedades y métodos para que todas las clases hijas puedan usarlas. De la misma manera, solo se puede definir un método abstracto dentro de una clase abstracta, de modo que cada clase que herede de ella esté obligada a redefinirla.

Para crear una clase abstracta, solo hay que usar la palabra clave `abstract` en el nivel de la definición:

```
public abstract class Ordenador { }
```

Al usar esta declaración, es imposible escribir el siguiente código (eso hará que aparezca un error de compilación):

```
var ordenador = new Ordenador();
```

Sencillamente porque la clase `Ordenador` es abstracta y solo sirve de definición básica para las clases que heredan de ella. También es posible definir un método abstracto, usando la misma palabra clave: `abstract`. Un método calificado como abstracto no puede contener cuerpo y forzosamente debe ser redefinido durante una herencia, al contrario que un método virtual. Por ejemplo:

```
public abstract class Ordenador
{
    public string Marca { get; set; }
    public abstract void Encender();
}
public class Mac : Ordenador
{
    public override void Encender()
    {
    }
}
```

Observación

Como consecuencia de heredar de una clase abstracta que contiene un método abstracto, es obligatorio redefinir el método abstracto. No redefinirlo provocará un error de compilación. Cabe señalar que es posible tener varios métodos abstractos; en este caso, hay que redefinirlos todos ellos.

Sin embargo, queda una limitación, ya sea en el caso del uso de una clase abstracta o de métodos virtuales: solo es posible heredar de una y solo una clase. Esta limitación se puede eludir multiplicando el contenido dentro de la clase madre (o su propia jerarquía), pero eso no puede ser suficiente ni ser lo ideal. Afortunadamente, hay un concepto que permite a las clases compartir una misma filosofía y hacerlo desde varios elementos: las interfaces.

2.1.3 Interfaz

Una interfaz es el equivalente a un contrato. A diferencia de los dos enfoques anteriores, una interfaz no contiene ningún código concreto, sino solo las definiciones que debe concretar obligatoriamente una clase que implementa esta interfaz. Así, para una clase dada, se pueden implementar varias interfaces y, por lo tanto, respetar varios contratos.

Observación

La convención, en C#, quiere que el nombre de una interfaz empiece por una i mayúscula, lo que permite distinguirla de una clase.

Para la definición solo hay que usar la palabra reservada `interface`. Dentro de su cuerpo, solo puede contener firmas de métodos o de las declaraciones de propiedades. El concepto de ámbito no existe dentro de una interfaz: allí todo es público por convención.

Por ejemplo:

```
public interface IOrdenador
{
    void Encender();
    string Marca { get; set; }
}
```

Una vez más, gracias al planteamiento polimórfico, una clase concreta se puede pasar a métodos que esperan una interfaz:

```
public class Mac : IOrdenador
{
    public string Marca { get; set; }
    public void Encender() { }
}
public class CentralOrdenadores
{
    public void IniciarOrdenadorPrincipal(IOrdenador ordenador)
    {
        ordenador.Encender();
    }
}
```

```
var central = new CentralOrdenadores();
var mac = new Mac();
central.IniciarOrdenadorPrincipal(mac);
```

La herencia sigue siendo posible entre interfaces. Haciendo esta operación, una interfaz agrega ciertas especificaciones a la interfaz de la que hereda. Eso permite respetar un principio de programación S.O.L.I.D. (I = *Interface Segregation Principle*). Por ejemplo:

```
public interface ITieneUnTeclado
{
     void Escribir(string phrase);
}

public interface IOrdenador : ITieneUnTeclado
{
     void Encender();
}
```

En el código de arriba, la interfaz `IOrdenador` dispone de un método `Encender` propio, pero también tiene un método `Escribir` porque implementa `ITieneUnTeclado`. Si una clase implementa la interfaz `IOrdenador`, debe definir los dos métodos debido a la jerarquía de interfaz.

```
public class Mac : IOrdenador
{
    public void Encender() { Console.WriteLine("Su Mac se inicia..."); }
    public void Escribir(string phrase) { Console.WriteLine(phrase); }
}
```

Una vez más, el polimorfismo nos ofrece una flexibilidad operativa bastante agradable:

```
public void EscribirUnaNovela(ITieneUnTeclado maquina)
{
}
var mac = new Mac();
EscribirUnaNovela(mac);
```

2.1.4 Implementación predeterminada en una interfaz

Incluso si una interfaz debe considerarse como que solo contiene firmas de métodos y de propiedades, desde C# 8 es posible escribir una implementación predeterminada.

Con esta posibilidad, puede hacer evolucionar una interfaz que ya se ha usado sin necesidad de modificar las clases que la implementan. Sobre todo, es útil en el caso de que haya expuesto públicamente una interfaz y de que la implementen clases fuera de su control. Modificar una interfaz hace que sea necesario para todas las clases implementar estas modificaciones, lo que puede romper la compilación de ciertos proyectos. Con ese fin, desde C# 8 se puede definir un comportamiento predeterminado. Retomando nuestra interfaz `IOrdenador`, imaginemos que queremos añadir un método `Apagar`, y eso sin romper la compilación:

```
public interface IOrdenador
{
    void Encender();
    void Apagar() { Console.WriteLine("Apagado en proceso..."); }
}
```

Como vemos aquí arriba, se le puede dar un cuerpo a un método de interfaz haciendo esta implementación predeterminada.

Observación

Incluso si eso permite evitar un error de compilación en las clases que operan en esta interfaz, con frecuencia es recomendable no dar implementación predeterminada, para que los usuarios de la interfaz estén al corriente de la existencia de este método nuevo.

2.1.5 Enmascaramiento

Cuando se ha programado un método para ser redefinido, como hemos estudiado en la sección Métodos virtuales, se puede usar la palabra clave `override`. Sin embargo, se puede redefinir un método, incluso cuando no haya sido inicialmente declarado como virtual. Para eso, se usa la técnica del enmascaramiento.

El enmascaramiento consiste en redefinir un método que ya existe en la clase básica, sin usar la palabra clave `override`, pero sobreescribiendo su definición. Para eso, solo hay que crear la misma firma añadiendo la palabra clave `new`. Esta palabra se debe encontrar entre el ámbito y el tipo de retorno del método para realizar esta operación.

Observación

Esto solo es útil si el método es completamente idéntico. Si hay una diferencia en la firma (nombre, tipo de retorno o parámetros), el enmascaramiento es inútil.

Vamos a ilustrarlo mediante un ejemplo:

```
public class Ordenador
{
    public void Encender()
    {
        Console.WriteLine("Encendido en curso...");
    }
}

public class Mac : Ordenador
{
    public new void Encender()
    {
        Console.WriteLine("Su Mac se inicia...");
    }
}
```

La clase `Mac` hereda de la clase `Ordenador`. Como el método `Encender` no es virtual, la clase `Mac` debe enmascararlo para indicar su propia implementación.

Por eso, si se ejecuta el siguiente código:

```
var ordenador = new Ordenador();
var mac = new Mac();
ordenador.Encender();
mac.Encender();
```

tendremos la siguiente salida:

```
Encendido en curso...
Su Mac se inicia...
```

Si se elimina la palabra clave `new` de la firma del método `Encender` de la clase `Mac`, el compilador generará el siguiente *warning*:

warning CS0108: 'Mac.Encender()' enmascara el miembro heredado 'Ordenador.Encender()'. Use la palabra clave new si el enmascaramiento es intencionado.

2.1.6 Prohibir la herencia

Es posible indicar que un método o una clase se consideran como finales, es decir, que no se puede heredar más de ellos. Para hacerlo se usa la palabra clave `sealed`.

Por ejemplo, si se considera que la clase `Mac` no puede ser heredada:

```
public class Ordenador
{
}
public sealed class Mac : Ordenador
{
}
// el siguiente código provocará un error de compilación
public class MacMini : Mac
{
}
```

También se puede definir eso al nivel de un método de datos.

2.2 Los diferentes tipos de objetos

Hasta ahora, hemos abordado la POO a través del prisma de una clase. Aunque eso constituya el elemento central de la programación orientada a objetos, no es el único, ni mucho menos. En esta sección vamos a ver los otros tipos, y las principales diferencias entre estos últimos y una clase. Pero antes de eso, vamos a echar un vistazo a algunas nociones específicas sobre el concepto de clase.

2.2.1 Tipos de referencia

La gestión de la memoria es automática en C# y .NET, gracias a sistemas inteligentes. En efecto, las herramientas operativas que Microsoft pone a disposición contienen un elemento central para la operación correcta de la aplicación: el recolector de basura (o *garbage collector* en inglés, con frecuencia abreviado como GC).

El único objetivo de esta herramienta es vigilar la ocupación de la memoria viva de la aplicación y limpiar los objetos que ya no se utilizan. Cada vez que se usa la palabra clave `new` en una clase, se crea una instancia nueva. Para poder usar esta instancia, hay que guardarla en algún lugar.

Además, se dice que una clase es un tipo de **referencia**, es decir, que una variable de tipo clase es un puntero hacia un espacio de memoria reservado por guardar los datos y metadatos de la clase. Aquí el objetivo no es hacer un curso sobre la gestión de la memoria en C# y .NET, sino comprender bien que una clase es una referencia hacia una zona reservada. El GC vigilará esta zona y la limpiará cuando ya no se use. Eso evita enfrentarse al fenómeno denominado pérdidas de memoria, donde la memoria de la aplicación aumenta constantemente, por lo general a causa de un olvido de desasignación.

El tipo de referencia también implica un concepto extremadamente importante: el cero. Dado que se trata de un puntero hacia una zona de memoria, una variable de tipo clase puede apuntar de manera efectiva hacia la zona en cuestión o apuntar hacia el cero. Entonces se dice que el valor es igual a `null`, que también es el valor predeterminado de toda variable de tipo clase no inicializada.

Por ejemplo, al declarar una variable sin hacer instanciación con new, la variable existe, pero es igual a null porque no se ha reservado ninguna zona de memoria:

```
Mac mac;
```

Finalmente, la definición de la igualdad entre dos valores de tipo de referencia solo se hace sobre la base de la comparación de las direcciones de memoria, y para eso su contenido importa poco. Por supuesto, esta igualdad puede ser redefinida para basarse en otros criterios; pero si no hay especificación, se realiza la comparación de las direcciones de memoria.

El valor null está exclusivamente dedicado a los tipos de referencia. Eso nos permite ver el segundo tipo existente en C#: el tipo de **valor**.

2.2.2 Tipos de valor

La diferencia fundamental entre un tipo de referencia y un tipo de valor es que este último puede apuntar al cero. Por eso, cuando no hay especificación, se asigna un valor predeterminado por obligación. Igualmente, hay que saber que un tipo de valor no se guarda en memoria en el mismo lugar que un tipo de referencia. La zoma de memoria reservada para los tipos de valor se llama pila, mientras que la de los tipos de referencia se llama montón.

El montón puede contener una gran cantidad de datos (la memoria es virtualmente ilimitada), pero el acceso a estos es lento porque este espacio está fragmentado y el GC tiene que reordenar las cosas que se encuentran dentro de él de manera sistemática. La pila, por su parte, tiene un espacio de almacenamiento reducido, pero es extremadamente rápida porque los datos siempre están apilados de manera lógica, lo que significa que su acceso responde a un algoritmo muy eficaz.

Sin saberlo, ya ha usado un tipo de valor con este libro: int. En efecto, int descansa sobre un tipo de valor que permite guardar un valor numérico. Por eso, es imposible escribir el siguiente código:

```
int valor = null; // error de compilación
```

Si declara un int sin asignar un valor, este último toma el valor programado de manera predeterminada. En este caso específico, es 0.

```
int cero; // el valor será 0
```

Como no es posible guardar `null` en un `int`, eso significa que `int` no descansa sobre una clase, sino sobre otro tipo de datos: una estructura. Incluso aunque el uso que hará probablemente sea más marginal, conocer la existencia de las estructuras es fundamental para comprender bien el funcionamiento de un programa.

Se puede declarar una estructura usando la palabra clave `struct`:

```
public struct MiEstructura
{
}
```

El contenido de una estructura puede ser casi equivalente a una clase (allí se pueden encontrar propiedades, miembros y métodos):

```
public struct Punto
{
    public int X { get; set; }
    public int Y { get; set; }
}
Punto punto = new Punto();
punto.X = 100;
punto.Y = 200;
```

Se puede crear un constructor en una estructura, pero solo desde C# 10 es posible eliminar (o sustituir) el constructor de manera predeterminada (sin parámetro).

Así, el siguiente código provoca un error de compilación fuera de la versión 10 del lenguaje:

```
public struct Punto
{
    public int X { get; set; }
    public int Y { get; set; }
    public Punto() // El compilador indicará un error aquí
    {
    }
}
```

Un constructor de estructura también tiene una limitación: todas sus propiedades deben asignarse en el constructor. No es posible asignar solo una parte de ellas, so pena de tener un error de compilación.

Para retomar nuestro ejemplo, aquí tenemos un constructor completo:

```
public struct Punto
{
    public int X { get; set; }
    public int Y { get; set; }
    public Punto(int x, int y)
    {
        X = x;
        Y = y;
    }
}
```

Con la declaración de arriba, se pueden crear instancias de la estructura `Punto` de dos maneras:

```
Punto a = new Punto();
a.X = 100;
a.Y = 200;
Punto b = new Punto(150, 150);
```

La gestión de la memoria es un elemento que hay que considerar con el tipo de valor. En efecto, con el tipo de referencia se manipula una referencia, por lo tanto, un puntero hacia una zona de la memoria. Con un tipo de valor se trata de un objeto completo.

Por eso, una asignación de una variable a otra o un paso como parámetro a una función implica una copia completa de los datos. Para ilustrar esta diferencia, he aquí un pequeño fragmento de código explicativo:

```
public class Persona
{
    public string Nombre { get; set; }
}

public void Main()
{
    int i = 42;
    Increment(i);
    Console.WriteLine(i); // Mostrará 42, porque el valor i
se ha copiado durante la llamada
    var p = new Persona { Nombre = "Nombre" };
    Renombrar(p);
    Console.WriteLine(p.Nombre); // Mostrará "Nombre nuevo" porque
```

```
la referencia permite manipular la zona de memoria afectada
}
public void Increment(int i) { i = i + 1; }
public void Renombrar(Persona p) { p.Nombre = "Nombre nuevo"; }
```

Por este motivo no es posible que un tipo de valor sea igual a `null`, porque no es posible copiar `null`.

Sin embargo, la versión 2 del lenguaje C# ha aportado flexibilidad de escritura para permitir que un elemento de tipo de valor sea `null`. Enseguida vamos a detallar el uso de los tipos que aceptan valores null.

2.2.3 Tipos que aceptan valores null

Por definición, hemos visto que un tipo de valor no puede ser `null`. Sin embargo, hay una posibilidad disponible desde la versión 2 de C# que ha hecho posible el concepto: los tipos que aceptan valores NULL.

Se trata de encapsular un tipo de valor dentro de una clase que va a servir de proxy hacia el valor intrínseco y permitir que este sea `null`. Afortunadamente, no es necesario comprender el funcionamiento subyacente para usarlo. Solo hay que colocar un signo de interrogación como sufijo del tipo de valor:

```
int? valor = null;
```

Al hacer esto, hemos declarado un `int` que acepta valores NULL, indicando que este último puede contener un valor o no. Esto es muy práctico si el valor predeterminado es un valor apropiado y queremos evaluar si el dato ya ha sido calculado o no. Si el valor es igual a `null`, entonces el dato todavía no ha sido asignado. Si tiene un valor cualquiera, 0 incluido, entonces se ha realizado el cálculo.

Cuando tenemos una variable que acepta valores NULL y puede ser `null`, hay que estar atento para no intentar utilizarla sin que se le haya asignado un valor porque se corre el riesgo de provocar un error (*null reference*, un concepto que veremos en el capítulo Algoritmia).

Un tipo que acepta valores NULL presenta varias propiedades o métodos que pueden servir para utilizar el dato:

- Una propiedad `HasValue` que permite comprobar si un dato está presente o no.
- Una propiedad `Value` que permite acceder al dato almacenado de manera subyacente. Cuidado, intentar acceder a este valor si no ha sido asignado provocará un error en el programa.
- Un método `GetValueOrDefault()` que permite recuperar el valor guardado de manera protegida: ya sea que haya un valor presente, en cuyo caso se devolverá este último, ya sea que no se haya asignado ningún valor y se devolverá el valor predeterminado del tipo subyacente.

El siguiente código permite ilustrar las distintas propiedades y métodos:

```
int? nullInt = null;
int? valueInt = 3;
Console.WriteLine(nullInt.HasValue); // mostrará false
Console.WriteLine(valueInt.HasValue); // mostrará true
Console.WriteLine(nullInt.GetValueOrDefault()); // mostrará 0
Console.WriteLine(valueInt.GetValueOrDefault()); // mostrará 3
Console.WriteLine(nullInt.Value); //provocará un error
Console.WriteLine(valueInt.Value); // mostrará 3
```

Este atajo de escritura permite evitar la sintaxis completa del tipo que acepta valores NULL. Así, los dos códigos siguientes son completamente equivalentes:

```
int? valor = null;
Nullable<int> valor = null;
```

2.2.4 Tipos de referencia que aceptan valores NULL

C# 8 introdujo una novedad muy interesante: los tipos de referencia que aceptan valores NULL. Aunque esto parece evidente (porque los tipos de referencia o base pueden ser `null`), esta novedad aspira a avisar al desarrollador de que use potencialmente una variable que puede no estar asignada y tener un valor `null`. La notación retoma exactamente la ofrecida por el tipo que acepta valores null visto anteriormente, pero usando un tipo de referencia. Por ejemplo:

```
string? s = null;
```

Es posible que el compilador genere un *warning* en la línea de código escrita aquí arriba, mencionando que el soporte de los tipos que aceptan valores NULL debe estar activo. Actualmente, esta opción no está activada de manera predeterminada (a pesar de que Microsoft ya ha pensado en ello). Por eso hay que activarla manualmente.

Hay dos maneras de activar esta opción:

- Limitar el bloque de código interesado mediante `#nullable enable` y `#nullable disable`. Aunque este planteamiento funciona, no se recomienda porque se limita a un bloque de código concreto y añade adornos al código. También hay que observar que eso se puede definir para un archivo completo, empezando el archivo por `#nullable enable` y sin poner `#nullable disable`.
- Activar la opción a un nivel global del proyecto, editando el archivo csproj y añadiendo una etiqueta al inicio: <Nullable>enable</Nullable>. Hay que dar preferencia a esta opción en caso de uso de la función.

Con esta opción, el compilador C# hará la distinción entre los tipos de referencia que pueden ser `null` (con una interrogación) y los que no pueden ser `null` de manera lógica (sin interrogación). Una vez activada la opción, el compilador nos avisa mediante un *warning* cuando hace la compilación:

```
string? nombre = null;
int tamano = nombre.Length;
```

En el bloque de código de arriba, la segunda línea generará un *warning* porque el compilador habrá detectado un intento de acceso al valor de tipo de referencia con el valor `null` en al menos una ruta de código. Por supuesto, este trabajo solo lo realiza el compilador, no puede ser exhaustivo y algunos casos no se tratan ni se comprueban.

A partir de ahí, la función del desarrollador es garantizar que el error no sea posible, indicar al compilador que el código está perfectamente protegido y que entonces el *warning* es inútil, colocando una exclamación como sufijo de la variable:

```
string? nombre = null;
int tamano = nombre!.Length
```

Observación

En el ejemplo de arriba, incluso si se ha eliminado el warning, el error sigue existiendo. Este código no se recomienda.

2.2.5 Las enumeraciones

Una enumeración permite conceptualizar una colección de valores y se usa como un tipo de datos. Se puede definir al mismo nivel que una clase o una estructura. Usamos la palabra clave `enum` para crearla. A diferencia de la clase o de la estructura, una enumeración contiene un conjunto finito de valores predefinidos separados por una coma. Por ejemplo:

```
public enum TipoProcesador
{
    x86,
    x64,
    ARM
}
```

Con esta enumeración se puede definir una variable o una propiedad del tipo llamado `TipoProcesador`. Sin embargo, para asignar un valor de la enumeración a una variable, hay que volver a llamar al tipo de la enumeración con antelación:

```
var procesador = TipoProcesador.x64;
```

Por defecto, una enumeración descansa de manera subyacente en un entero, de manera que cada elemento está asociado a un valor. Sin precisión, esta empieza en 0 y aumenta de 1 en 1. En nuestra enumeración de arriba, x86 vale 0, x64 vale 1 y ARM vale 2.

Dado que una enumeración se basa en un valor entero, se pueden realizar combinaciones para probar la ausencia o la presencia de un valor en una variable. Para que eso sea viable, es imperativo que todos los valores sean múltiplos de 2 y hay que adornar la enumeración con un atributo llamado `Flags`:

```
[Flags]
public enum CapacidadHardware
{
    Teclado = 0,
    Raton = 1,
    Pantalla = 2,
```

```
    SSD = 4,
    WebCam = 8
}
```

Para definir una variable con una enumeración y usar la suma, hay que separar los valores con una barra vertical (|). Por ejemplo, para definir una variable nueva de tipo `CapacidadHardware` que contiene un teclado, un ratón y una pantalla, se escribe la siguiente definición:

```
CapacidadHardware capacidad = CapacidadHardware.Teclado |
CapacidadHardware.Raton | CapacidadHardware.Pantalla;
```

Este planteamiento es muy práctico para especificar valores con una denominación legible y comprensible. Tras este código, se puede comprobar si una variable tiene un valor de la enumeración usando el método `HasFlag`:

```
var tieneUnSSD = capacidad.HasFlag(CapacidadHardware.SSD);
```

2.2.6 Registros

Es una novedad muy interesante de C# 9: un registro no es un tipo de sistema nuevo, sino que presenta una definición nueva que le permite al compilador comprender la intención del desarrollador y generar código de manera automática.

De forma subyacente, un registro descansa sobre una clase. Sin embargo, introduce un concepto muy sugestivo, la inmutabilidad. Significa que un objeto no se puede modificar después de su creación, y toda modificación de datos necesita una creación de objeto nueva. Aunque este planteamiento parece ser «un desperdicio de memoria», ofrece una seguridad de código muy interesante. En concreto, una vez creado un objeto, tiene la certeza de que no se ha modificado desde su creación. En aplicaciones sencillas, las ventajas se reducen; pero en aplicaciones más consecuentes, puede suceder que funciones intermedias alteren un objeto, lo que al final podría provocar un comportamiento inesperado dentro de la aplicación.

Además, debido a su inmutabilidad, la comparación entre dos registros es relativamente sencilla: solo hay que comparar de manera secuencial cada uno de los datos para garantizar una igualdad. Esta igualdad, por definición, no puede cambiar con el paso del tiempo.

Para declarar un registro, la palabra clave es `record`:

```
public record MiRegistro
{
}
```

Las posibilidades son las mismas que las que ofrecen las clases (porque es el tipo subyacente usado por el compilador). Sin embargo, para disfrutar del tipo y de su aportación al lenguaje, no hay que usar propiedades que definen un setter público porque eso altera el principio de inmutabilidad. Así, las propiedades se definirán con la palabra clave `init` en lugar de la palabra clave `set`:

```
public record Punto
{
    public int X { get; init; }
    public int Y { get; init; }
}
```

Es posible prescindir de la palabra clave `init`, pero eso implica pasar obligatoriamente por el constructor con los parámetros.

Si el registro solo contiene datos, se puede usar la declaración abreviada y descansar sobre el compilador para generar las propiedades en nuestra ubicación. Así, los dos registros siguientes son equivalentes, pero la segunda versión ofrece la ventaja de ser más rápida de escribir que la primera:

```
public record Punto
{
    public int X { get; init; }
    public int Y { get; init; }
}
public record Punto(int X, int Y);
```

Entre los elementos generados automáticamente por el compilador, y como consecuencia de la inmutabilidad de las instancias, se deduce y se proporciona automáticamente la igualdad. Aquí, el booleano `iguales` tiene el valor verdadero porque los dos datos se comparan entre ellos:

```
var punto = new Punto(100, 100);
var punto2 = new Punto(100, 100);
bool iguales = punto == punto2;
```

La inmutabilidad implica que se debe volver a crear una instancia nueva para modificar un valor. Por supuesto, eso puede hacerse de manera manual, pero C# 9 ha aportado una palabra clave nueva, `with`, para permitir una escritura simplificada. Imaginemos que queremos crear un punto nuevo a partir del punto (100,100), pero usando 150 como valor Y. Los dos elementos de código siguientes permiten obtener el mismo resultado:

```
var punto = new Punto(100, 100);
var punto2 = new Punto(100, 150);
var punto3 = punto with { Y = 150 };
```

La palabra clave `with` permite recuperar una instancia ya existente y declarar qué valor(es) se quiere modificar en el clon obtenido de esta manera. Este atajo de escritura toma todo el sentido cuando se usan registros que multiplican las propiedades.

De manera predeterminada, un registro se considera como si fuera una clase. Así, las dos declaraciones siguientes son idénticas:

```
public record class Punto(int X, int Y);
public record Punto(int X, int Y);
```

C# 10 ofrece la posibilidad de tener el funcionamiento del registro respecto a la inmutabilidad, usando un tipo de valor como una estructura:

```
public record struct Punto(int X, int Y);
```

Usando este planteamiento, toda instancia creada será de hecho un tipo de valor durante la gestión de la memoria, y hay que considerar todo lo que se ha dicho en la sección Tipos de valor.

2.3 Modificadores de clase

Como se ha enunciado en la sección Principios de la programación orientada a objetos - ¿Qué es una clase?, una clase puede tener modificadores que indican que se comporta de una manera distinta. Estos dos modificadores son `static` y `partial`.

2.3.1 El concepto de static

Una clase declarada como `static` no se puede instanciar, es decir, que no es posible crear una instancia nueva de esta. Una vez declarada una clase como tal, es imposible que contenga datos o funciones denominadas «de instancia». La totalidad de lo que declara debe ser calificado como `static`. Se usa esta misma palabra clave para transmitir este concepto:

```
static class NOMBRE_DE_LA_CLASE
{
}
```

La palabra clave `static` también se puede incorporar a los métodos y a las propiedades, permitiendo un acceso sin instancia:

```
static class Herramientas
{
    public static int Value { get; set; }
    public static void Metodo() { }
}
```

Para usar la clase, hay que usar su tipo directamente, de la misma manera que si tuviéramos una instancia de esta clase:

```
var valor = Herramientas.Value;
Herramientas.Metodo();
```

Una clase que no está declarada como `static` también puede contener métodos o propiedades `static`. Estas últimas, en cambio, no pueden usar nada de todo lo relacionado con la instancia. Sin embargo, es posible llamar a un método `static` desde un método de instancia:

```
public class MiClase
{
    public static void Metodo()
    {
        MetodoInstancia(); // ilegal
    }
    public void MetodoInstancia()
    {
        Metodo(); // ok
    }
}
```

De manera general, los métodos y tipos `static` no son un planteamiento recomendado. En algunos casos, pueden resultar útiles e incluso necesarios en otros (métodos de extensión, por ejemplo, que estudiaremos en el capítulo Conceptos avanzados, que aborda los temas avanzados).

Aunque la instrucción `using` en el encabezado del archivo se use para importar un espacio de nombres, también es posible utilizarla para importar un tipo estático. Todo ello, para evitar tener que colocar de manera sistemática un prefijo en el acceso a un método o a una propiedad estática mediante el nombre de la clase. Retomando el ejemplo de la clase estática `Herramientas` descrita arriba, podríamos usarla de la siguiente manera:

```
using static ElEspacioNombresHaciaLaClaseEstaticaHerramientas.Herramientas;
public class MiClase
{
    public void Metodo()
    {
            var valorHerramienta = Value;
            Metodo();
    }
}
```

Cabe destacar que, para este caso preciso, es necesario usar la palabra clave `static` justo después de `using`, para indicarle al compilador que se trata de la importación de un tipo estático.

2.3.2 El concepto de clase parcial

Al contrario que `static`, el concepto de clase parcial solo se aplica a la clase y su definición, y no a los métodos o propiedades. La presencia de la palabra clave `partial` indica que la definición de la clase está contenida en varios archivos, ubicados en varios lugares (pero en el mismo espacio de nombres). El compilador se encarga de reagrupar los archivos para producir una única definición durante la fase de compilación. Es la única manera de tener dos archivos que definen la misma clase en el mismo nivel jerárquico (ver error encontrado en el capítulo Primer programa).

Por ejemplo:

En el archivo Miclase.cs

```
public partial class MiClase
{
    public int Valor { get; set; }
}
```

En el archivo MiClase2.cs

```
public partial class MiClase
{
    public void Incremento() { Valor = Valor + 1; }
}
```

Así, si otra parte de código usa la clase `MiClase`, tiene acceso al contenido definido en los dos archivos:

```
var c = new MiClase();
c.Incremento();
Console.WriteLine(c.Valor);
```

De manera general, no se recomienda usar uno mismo este planteamiento. Este último toma su sentido para completar o personalizar clases que se generan automáticamente mediante las herramientas porque no se pueden redefinir.

3. Ejercicio

Ahora que ha adquirido las nociones del desarrollo orientado a objetos, es el momento de pasar a la práctica a través de un ejercicio.

3.1 Enunciado

El objetivo de este ejercicio es poder gestionar un garaje. El garaje realiza varias operaciones en los coches:

– Repintar un coche para cambiar el color.

– Reparar el coche.

– Hacer el mantenimiento del coche y actualizar la fecha del último mantenimiento.

El garaje también se ocupa de los camiones, pero solo para repararlos.

Observación

A excepción de asignar o de leer posibles propiedades, las acciones no harán más que mostrar en la consola, gracias al método `WriteLine`, la acción en cuestión.

Un coche tiene marca, color, fecha de revisión y un indicador de buen funcionamiento.

El pequeño escenario para implementar es el siguiente:

– Crear un garaje.
– Crear dos coches (un Peugeot azul y un Ferrari rojo) y un camión.
– Reparar el Peugeot y el camión, y hacer mantenimiento en el Ferrari.
– Repintar el Peugeot de color verde.

3.2 Solución

Observación

Tras una simple lectura del enunciado existen, como suele suceder, muchas maneras de resolver este ejercicio correctamente. En este caso, el planteamiento es poner en práctica lo que hemos visto en este capítulo.

Al principio, hay que empezar por crear la jerarquía que permite gestionar los tipos `Coche` y `Camion`. Estos últimos se pueden reparar; de ahí la conveniencia de poner en común el indicador de reparación. Esto puede hacerse usando una interfaz (pero eso implica que cada clase haga la implementación explícita) o una clase de base abstracta. Vamos a impulsar esta solución porque en el enunciado nada indica que sea necesario heredar clases adicionales. De la misma manera, el color se puede guardar como cadena de caracteres, pero para evitar tener «`Rojo`» y «`rojo`» como colores, la unificación gracias a una `enum` parece ser una buena idea.

```
public enum Color
{
    Verde,
    Azul,
    Rojo
}
public abstract class Vehiculo
{
    public bool Repara { get; set; }
}
public class Coche : Vehiculo
{
    public string Marca { get; set; }
    public Color Color { get; set; }
    public DateTime FechaMantenimiento { get; set; }
}
public class Camion : Vehiculo
{
}
```

El planteamiento a partir de la clase abstracta de base `Vehiculo` nos permite disfrutar del polimorfismo cuando creamos nuestra clase `Garaje`:

```
public class Garaje
{
    public void HacerMantenimiento(Coche coche)
    {
        Console.WriteLine("Realización del mantenimiento del
coche de marca" + coche.Marca);
        coche.FechaMantenimiento = DateTime.Now;
    }
    public void Repintar(Coche coche, Color nuevoColor)
    {
         Console.WriteLine("Cambio del color del coche.
Color original = " + coche.Color + ". Nuevo color = " +
nuevoColor);
        coche.Color = nuevoColor;
    }
    public void Reparar(Vehiculo vehiculo)
    {
        Console.WriteLine("Reparación de un vehículo");
        vehiculo.Repara = true;
    }
}
```

Ahora, podemos desarrollar nuestro escenario en el archivo Program.cs de nuestra aplicación de consola:

```
var garaje = new Garaje();
var peugeot = new Coche { Marca = "Peugeot", Color = Color.Azul };
var ferrari = new Coche { Marca = "Ferrari", Color = Color.Rojo };
var camion = new Camion();
garaje.Reparar(camion);
garaje.Reparar(peugeot);
garaje.HacerMantenimiento(ferrari);
garaje.Repintar(peugeot, Color.Verde);
```

La ejecución del programa nos da esto:

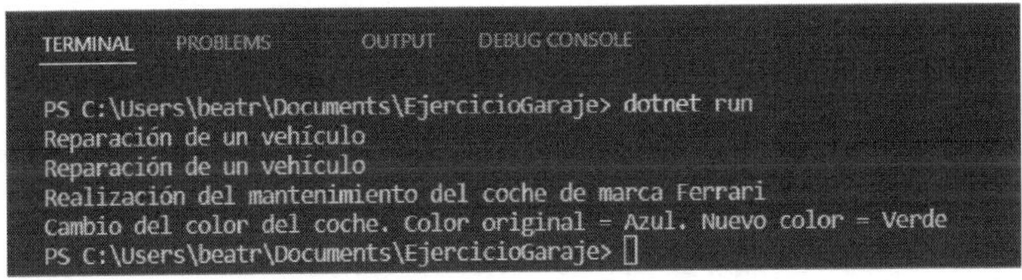

Resultado de la ejecución del ejercicio

En caso de que tenga cualquier problema, el código fuente corregido de este ejercicio se puede descargar desde el sitio ENI.

Capítulo 4
Algoritmia

1. Bases de algoritmia

Hasta ahora, nos hemos contentado con desarrollar aplicaciones que no incluyen ninguna «lógica»: se limitaban a mostrar datos. No había ningún concepto de condición, repetición o lógica de código. En efecto, es frecuente que el código de una aplicación sea complejo y hay múltiples ramificaciones en función de diversas condiciones. En este capítulo, vamos a descubrir la lógica algorítmica, que nos permitirá crear código más parecido a lo que se puede encontrar en las aplicaciones que responden a problemáticas más complejas.

1.1 Lógica condicional

Es innegable que aquí se trata de un componente que va a usar de manera sistemática. Una condición implica la ejecución o no de una parte del código en función de la evaluación de una prueba lógica.

1.1.1 Prueba simple: el if/else

La lógica condicional se traduce en pseudocódigo de la siguiente manera:

```
SI una condición ENTONCES
  Hago una cosa
SI NO
  Hago otra cosa
```

En C#, las palabras clave para realizar una instrucción condicional son `if` y `else`:

```
if(condición)
{
    ....
}
else
{
    ....
}
```

La condición comprobada por una instrucción `if` debe devolver un booleano. Este último se puede guardar en una variable, pero también es posible que la instrucción `if` evalúe directamente la condición, sin variable intermedia.

Si retomamos el ejemplo del final del capítulo anterior, podríamos mejorar nuestra clase `Coche` para añadir un booleano que indique si la instancia del coche es funcional. Si el valor es igual a «sí», es inútil reparar el coche. Sin embargo, si el coche no es funcional, hay que repararlo:

```
public class Coche
{
    public bool Funcional { get; set; }
    ...
}
public class Garaje
{
    public void Repara(Coche coche)
    {
        if(coche.Funcional)
        {
              Console.WriteLine("No es necesario reparar
el coche porque es funcional");
        }
```

```
        else
        {
              Console.WriteLine("Reparación del coche");
              coche.Funcional = true;
        }
    }
}
```

Como podemos ver en el código superior, la instrucción `if` se basa en el valor booleano guardado en la propiedad `Funcional` de la clase `coche` para evaluar si la reparación es necesaria. Aquí, la prueba se ha hecho de manera que se verifica si la condición es verdadera y, en caso contrario, se realiza la reparación. Se puede invertir la condición inicial, comparando el booleano con el valor `false`. Por eso, incluso podemos prescindir de `else`, que realmente no aporta ningún valor añadido:

```
public void Repara(Coche coche)
    {
        if(coche.Funcional == false)
        {
              Console.WriteLine("Reparación del coche");
              coche.Funcional = true;
        }
    }
```

También hay que observar que puede invertir el valor de un booleano poniendo una exclamación como prefijo. Así, `!true` es igual a `false`, y `!false` es igual a `true`. Incluso si esto puede parecer complicado a primera vista, verá que es una manera de escribir que rápidamente se convertirá en automática con el uso. Si se retoma el ejemplo anterior, el código que usa la inversión de valor con la exclamación sería el siguiente:

```
public void Repara(Coche coche)
    {
        if(!coche.Funcional)
        {
              Console.WriteLine("Reparación del coche");
              coche.Funcional = true;
        }
    }
```

Incluso si a primera vista la instrucción `else` se usa para definir el caso inverso al del `if` principal, también puede servir de base para otra instrucción `if` que hay que seguir para hacer una instrucción con la semántica «si no si». En este caso, es suficiente con añadir una condición `if` después de `else`. Por ejemplo:

```
public void DescribirCoche(Coche coche)
{
    if(coche.Marca == "Ferrari")
    {
        Console.WriteLine("Coche caro");
    }
    else if(coche.Marca == "Peugeot")
    {
        Console.WriteLine("Coche estándar");
    }
    else
    {
         Console.WriteLine("Marca de coche no reconocida");
    }
}
```

Hay que señalar que la estructura del código condicional es muy flexible: podemos tener una sola instrucción `if`, una instrucción `if` y su `else` asociado, o un encadenamiento de `if` y `else if` (con o sin `else` final). Lo único que es imposible: tener solo una instrucción `else` porque esta última indica forzosamente lo contrario de una condición dada.

Observación

Para que estas ramificaciones sean posibles, por supuesto es necesario que haya condiciones que pueden dar varios resultados. Por ese motivo, no es útil hace un `if`, `else if` o `else` con un simple booleano porque este último solo puede tener dos estados; un `if` con un `else` es suficiente.

Una instrucción `if` se puede «comprimir» expresándola bajo una forma reducida llamada ternario. En general, se usa este planteamiento a fin de escribir en línea una prueba para evitar una sintaxis pesada y asignar el contenido de una variable. La sintaxis es la siguiente: en la primera parte se define la prueba para evaluar, separando con un signo de interrogación la prueba de los resultados.

Luego, los casos verdadero y falso se separan por dos puntos. La sintaxis es la siguiente:

```
prueba ? caso si verdadero : caso si falso
```

Por ejemplo:

```
string coche = coche.Marca == "Ferrari" ? "Coche caro" :
"Coche poco caro";
```

Se pueden encadenar los ternarios usando paréntesis (rehaciendo otro ternario en uno u otro caso), pero se recomienda actuar con moderación para conservar una legibilidad de código óptima.

Con frecuencia, es interesante probar si se ha asignado un objeto antes de acceder a sus datos o a sus métodos. En ausencia de esta prueba, eso puede provocar un error de ejecución (llamada excepción, que explicaremos con detalle en este capítulo, en la sección Gestión de los errores). Si se retoma el código anterior, como `Coche` es una clase, puede tomar el valor `null`. Entonces la función `DescribirCoche` intentaría acceder a una variable que no tiene valor, provocando un error de ejecución:

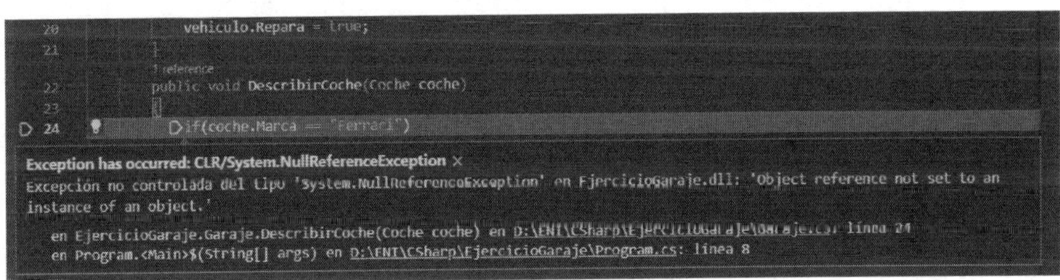

Error de ejecución

Para realizar cualquier prueba con un dato de una clase o llamar a un método, se recomienda probar si el valor es distinto de `null`. Este proceso puede hacerse de manera «clásica» o gracias a la nueva aportación de la palabra clave `not` de C# 9 (se describe en la sección Coincidencia de patrones, que veremos más adelante):

```
public void DescribirCoche(Coche coche)
{
    if (coche != null) // antes de C# 9
    {
        ...
    }
    if (coche is not null) // desde C# 9
    {
        ...
    }
}
```

Para evitar este tipo de problemas, se añadió un operador de navegación protegido en C# 6. Este último permite acceder a un método o leer un dato solo si la variable no es `null`. El signo de interrogación se usa justo después de la variable, antes de la llamada, y eso permite prescindir de probar la nulidad:

```
public void DescribirCoche(Coche coche)
{
    if(voiture?.Marca == "Ferrari")
    {
        Console.WriteLine("Coche caro");
    }
    else if(coche?.Marca == "Peugeot")
    {
        Console.WriteLine("Coche estándar");
    }
    else
    {
         Console.WriteLine("Marca de coche no reconocida");
    }
}
```

El funcionamiento de este operador es el siguiente:

- Si la variable no es `null`, se accede a la propiedad o al método correspondiente de manera normal.
- Si la variable es `null`:
  - Si se trata de una llamada a un método y el método no devuelve nada, no se le invocará;
  - Si se trata de una llamada a un método y el método devuelve un valor, o si se trata de una llamada a una propiedad, habría que probar si el valor es distinto de `null`. Si se trata de un tipo de referencia (de una clase, como un `string`), entonces habría que probar si es `null` para ver si se ha hecho la llamada. Si se trata de un tipo de valor, entonces el tipo se enmarcará en uno que acepta valores null. Por ejemplo: si el tipo de retorno es un `int`, obtendremos un `int?` durante la llamada, que será igual a `null` si la variable es `null`, o que tendrá el valor en caso contrario.

```
public class TestClass
{
    public int Valor { get; set; }
    public string ValorString { get; set; }
    public void Metodo() { }
    public int MetodoInt()
    {
        return 42;
    }
    public string MetodoString()
    {
        return "valor";
    }
}

TestClass c = null;
int? valor = c?.Valor;
string valorStr = c?.ValorString;
c?.Metodo();
int? retorno = c?.MetodoInt();
string retornoStr = c?.MetodoString();
```

C# 7 también introdujo una nueva manera de probar si un valor es `null` y proporcionar otro valor, usando el signo de interrogación doble:

```
string str = null;
string str2 = str ?? "vaor predeterminado"; // aquí, str2 valdrá str si str no es null, o si no "valor predeterminado"
```

Esto se puede completar con lo que hemos visto antes para definir un valor predeterminado:

```
TestClass c = null;
int valor = c?.Valor ?? 0;
string valorStr = c?.ValorString ?? "";
int? retorno = c?.MetodoInt() ?? 0;
string retornoStr = c?.MetodoString() ?? "";
```

1.1.2 Pruebas múltiples con la instrucción switch

Incluso si es posible hacer múltiples pruebas gracias a las instrucciones `if/else`, tener una gran cantidad de `else if` en un mismo bloque de código en general no se considera una buena práctica de programación. Si la prueba solo se realiza con una variable dada, se puede usar la instrucción `switch`. Esta última empieza por la declaración de la variable que se quiere evaluar, y como consecuencia se hace una lista de los distintos casos posibles, así como del código asociado:

```
switch(variable)
{
    case X : ...; break;
    case Y : ...; break;
}
```

Cada caso distinto se debe definir mediante la instrucción `case` seguida del valor de resultado esperado (eso se llama una etiqueta). Como consecuencia de esta declaración, un separador (carácter dos puntos) permite definir el código que hay que invocar cuando la variable toma este valor preciso. Toda instrucción `case` debe terminar con la instrucción especial `break`, que indica que se quiere salir del `switch` una vez realizado el código. En ausencia de esta instrucción, se presentará un error de compilación.

Observación

Sin embargo, hay un caso particular: la existencia de una instrucción `case` sin código asociado no necesita usar la palabra clave `break`; está asociada de manera automática con la siguiente instrucción `case`. Veremos este caso en el ejemplo siguiente.

Para terminar, hay una etiqueta especial que corresponde al equivalente de un `else` final, que permite describir la acción para efectuar en el/los caso/s no gestionado/s por la lista de los distintos `case` previos. Esta etiqueta no usa la palabra clave `case`, sino simplemente la palabra clave `default`:

```
switch(variable)
{
    case X : ...; break;
    case Y : ...; break;
    default: ...; break;
}
```

Así, retomando el ejemplo anterior, nuestra secuencia de `if/else if` se puede mejorar con un `switch` de la siguiente manera:

```
public void DescribirCoche(Coche coche)
{
    switch(coche.Marca)
    {
        case "Ferrari" : Console.WriteLine("Coche caro"); break;
        case "Renault" :
        case "Peugeot" : Console.WriteLine("Coche estándar"); break;
        default : Console.WriteLine("Marca de coche no reconocida"); break;
    }
}
```

Sin embargo, esta escritura es demasiado prolija, y C# 8 proporcionó una manera de escribir las instrucciones `switch` de manera más concisa. Esta última alcanza el tema bastante amplio de la coincidencia de patrones.

1.1.3 Coincidencia de patrones

La coincidencia de patrones (*pattern matching*) permite realizar instrucciones basándose en un modelo reconocido. Por ejemplo, imaginemos que queremos escribir una función que permite indicar si el vehículo pasado como parámetro es un coche, un camión u otro tipo desconocido.

Para evaluar un objeto de un tipo A en un tipo B, hay que usar uno de los dos operadores siguientes:

- El cast, válido para todos los tipos. Este tipo de instrucción «convierte» una variable en otra. Si la variable no se puede convertir en el tipo de destino, se devuelve una excepción (error). Para hacer cast de un valor en otro, hay que especificar el tipo de destino entre paréntesis. `var coche = (Coche)vehiculo`.
- La conversión, solo válida para los tipos de referencia. Este tipo de instrucción intenta la conversión de una variable hacia un tipo dado. Si la variable no se puede convertir en el tipo de destino, se asigna el valor por defecto (a menudo igual a `null`). Para realizar esta operación, se usa la palabra clave `as`: `var coche = coche as Coche`.

La elección entre las dos maneras de proceder debe hacerse respecto a la lógica subyacente:

- Cast solo se usa si se tiene una gran certeza de que la variable se puede transformar en el tipo de destino. Además, por eso se devuelve una excepción si no es posible. Cabe señalar que es la única manera de hacer la transformación de un tipo de referencia hacia un tipo de valor (por ejemplo, `object` hacia `int`).
- Solo se usa `as` en presencia de tipos de referencia y si se supone que es posible que la variable sea de ese tipo. El hecho de que se devuelva el valor `null` en lugar de una excepción permite gestionar el caso de que, al final, la variable no sea de este tipo.

Se puede probar si un objeto es de un tipo dado con la palabra clave `is` dentro de una instrucción condicional. Así, si el objeto es del tipo probado, se entra en la condición. Una vez dentro de la condición, entonces se puede convertir el objeto porque se tiene la certeza de que es del tipo deseado. Retomando nuestro ejemplo anterior, este es el código que se podría escribir:

```
public void QueTipoEs(Vehiculo vehiculo)
{
    if(vehiculo is Camion)
    {
        var camion = vehiculo as Camion;
        // Hacer algo con un camión
    }
    else if(vehiculo is Coche)
    {
        var coche = (Coche)vehiculo;
        // Hacer algo con un coche
    }
}
```

Como se puede ver en el ejemplo anterior, se puede verificar el tipo de un objeto dado y luego convertirlo. Sin embargo, esta sintaxis es un poco pesada (en ambos casos) porque necesita una conversión después de realizar la prueba.

C# 9 ha aportado una mejora a la palabra clave `is` dándole la posibilidad de hacer una negación. Antes, era necesario escribir el siguiente código para invertir la prueba:

```
if(!(vehiculo is Coche))
{
}
```

A partir de ahora, se puede usar la palabra clave `not` para cumplir este objetivo:

```
if(vehiculo is not Coche)
{
}
```

C# 7 ofrece una mejora de este planteamiento permitiendo mezclar la prueba y la conversión en una sola línea. Para disfrutar de esta función, hay que añadir el nombre de la variable que se quiere obtener después de la prueba con la palabra clave `is`. Si la conversión es posible, dentro del siguiente bloque habrá disponible una variable llamada como se pide. Mejorando el ejemplo anterior, obtenemos el siguiente código:

```
public void QueTipoEs(Vehiculo vehiculo)
{
    if(vehiculo is Camion camion)
    {
        // Aquí tenemos una variable llamada "camion"
        // Hacer algo con un camión
    }
    else if(vehiculo is Coche coche)
    {
        // Aquí tenemos una variable llamada "coche"
        // Hacer algo con un coche
    }
}
```

Esta mejora de la sintaxis también funciona para `switch`. Antes de C# 7, una instrucción `switch` debía contener etiquetas que definen un valor constante en la compilación (como una cadena de caracteres). Desde C# 7, se pueden tener etiquetas que permitan instrucciones más completas, que contengan específicamente una conversión.

Como se recomienda sustituir los `if/else if` por un `switch`, se puede retomar el código anterior usando un `switch` con la coincidencia de patrones (*pattern matching*) mejorada de C#7.

También se ha añadido una etiqueta especial nueva, principalmente útil cuando el tipo evaluado por el `switch` es un tipo de referencia: la etiqueta `null`. Esta etiqueta especial permite tratar el caso especial donde la variable comprobada sería igual a `null`. Retomando el código anterior con ayuda de un `switch` y con las nuevas aportaciones, podemos obtener:

```
public void QueTipoEs(Vehiculo vehiculo)
{
    switch(vehiculo)
    {
            case Camion camion: // tengo una variable "camion"
```

```
                break;
            case Coche coche: // tengo una variable "coche"
                break;
            case null: // la variable "vehiculo" es null
                break;
            default: // no se conoce el tipo de vehículo
               break;
    }
}
```

La mejora de la sintaxis propuesta por C#7 también permite añadir un filtro a la entrada de una etiqueta. En este caso, hay que colocar una condición `when` después del nombre de la variable para poder añadir un filtro (equivalente a una instrucción lógica dentro de un `if`).

Por ejemplo, si queremos hacer una etiqueta para los coches azules, se puede escribir el siguiente código:

```
public void QueTipoEs(Vehiculo vehiculo)
{
    switch(vehiculo)
    {
            case Camion camion: // tengo una variable "camion"
                break;
            case Coche cocheAzul when coche.Color ==
Color.Azul: // tengo una variable "cocheAzul" que tiene Azul como color
                break;
            case null: // la variable "vehiculo" es null
                break;
            default: // no se conoce el tipo de vehículo
               break;
    }
}
```

C# 8 aporta una manera nueva de escribir un `switch` para hacerlo más conciso. Esta escritura no se puede usar si la etiqueta contiene una instrucción única. La sintaxis es la siguiente:

```
variable switch
{
    etiqueta => instrucción
}
```

Como vemos en el código anterior, una etiqueta ya no tiene dos puntos ni instrucción `break` sencillamente porque la instrucción que sigue a la etiqueta es única. La etiqueta `default` ha sido sustituida por el símbolo guion bajo (_). Las etiquetas permiten extraer una variable que se puede usar en la instrucción que sigue. También se le puede indicar al compilador que la trasformación de la variable no nos interesa, en cuyo caso también se usa el guion bajo. Esta operación algo especial se llama *discard* y permite optimizar ligeramente la memoria (evitando una asignación de variable inútil).

Por ejemplo:

```
public void QueTipoes(Vehiculo v)
{
    var tipoVehiculo = obj switch
    {
            Coche v => "Es un coche de marca " + c.Marca,
            Camion _ => "Es un camión",
            _ => "Tipo no reconocido"
     };
}
```

Observación

Desde C# 9 se ha hecho una mejora, de manera que discard ya no es necesaria y es posible especificar el tipo de manera sencilla. Así, nuestra instrucción en el código de arriba se convierte en `Camion => "Es un camión"`.

C# 9 ha aportado la posibilidad de tener operaciones de comprobación con ayuda de operadores sencillos (como mayor o menor que). Las combinaciones lógicas se realizarán con las palabras clave `and` y `or`. Por ejemplo:

```
public void DefinirGamaCoche(Coche coche)
{
     var gama = coche.Precio switch
     {
            < 10000 => "Gama básica",
            > 10000 and < 50000 => "Gama media",
            > 50000 => "Gama alta"
    };
}
```

1.1.4 Ejercicio - enunciado

Para hacer este ejercicio, vamos a crear un pequeño juego que mejoraremos a lo largo de este capítulo. En este caso, el propósito de este ejercicio es que el usuario adivine un número, comprendido entre 0 y el límite máximo elegido por el usuario.

Para hacerlo, hay que proceder de la siguiente manera:

- Pedirle al usuario que defina el límite máximo para adivinar el número.
- Si el límite máximo no es mayor que 0, indicar que no se puede jugar.
- Si el límite máximo es mayor que 0, calcular un número aleatorio comprendido entre 0 y el límite máximo (después veremos el código para hacerlo).
- Pedirle al usuario que introduzca el número para intentar adivinar.
- Mostrar si el usuario ha ganado o ha perdido.

El juego es muy corto y por el momento solo proporciona un intento. Para obtener un número aleatorio calculado, el código es el siguiente:

```
var random = new Random();
var numero = random.Next(0, LIMITE_MAXIMO + 1);
```

¡Le toca jugar!

1.1.5 Ejercicio - solución

Las diversas etapas antes mencionadas ya le han dado el hilo conductor del algoritmo principal, que se compone de la siguiente manera:

```
Console.WriteLine("Introducir el límite máximo del número para adivinar");
var limiteMaximo = int.Parse(Console.ReadLine());
if (limiteMaximo <= 0)
{
    Console.WriteLine("El límite máximo no puede ser menor
o igual a 0. Volver a ejecutar el juego para volver a empezar");
}
else
{
    var random = new Random();
    var numero = random.Next(0, limiteMaximo + 1);
    Console.WriteLine("Intente adivinar el número oculto");

    var adivina = int.Parse(Console.ReadLine());
```

```
        if (adivina == numero)
        {
            Console.WriteLine("¡Ha ganado!");
        }
        else
        {
            Console.WriteLine("¡Ha perdido!");
        }
    }
```

1.2 Las colecciones

Cuando se escribe una aplicación, con frecuencia sucede que hay que manipular una colección de elementos. El framework .NET ofrece un conjunto amplio de tipos de colecciones listos para usar. Sin embargo, algunos tipos se usarán más que otros, por la sencillez de su API o por su aporte en cuestión de rendimiento.

1.2.1 La interfaz IEnumerable

Antes de empezar a hablar de las colecciones como tales, hay que saber que una colección que se puede iterar implementa una interfaz específica: `IEnumerable`. Esta interfaz también dispone de una versión genérica, que permite especificar el tipo de datos de la colección entre los símbolos menor y mayor que: `IEnumerable<T>`, donde `T` corresponde al tipo deseado. Así, la colección `List<T>` (que veremos inmediatamente después) implementa la interfaz `IEnumerable<T>`. Podemos decir que una `List<T>` es una `IEnumerable<T>`.

Todas las colecciones que vamos a ver aquí debajo implementan esta interfaz, lo que permite usar el concepto de polimorfismo objeto cuando se quiere crear métodos que usan una colección cualquiera que se puede iterar. Hay que señalar que la interfaz `Ienumerable` solo presenta una API de lectura y no de escritura. Para tener la posibilidad de modificar el contenido de una colección, es preferible usar el tipo final o una interfaz más permisiva.

1.2.2 Las tablas

El primer tipo de colección es innegablemente la tabla de elementos. Una tabla corresponde a una serie finita de elementos, es decir, que se conoce con precisión el tamaño de esta colección cuando se instancia. La sintaxis es muy sencilla: solo hay que añadir corchetes después del tipo de elemento que se quiere poner en la tabla. Durante la instanciación, se define el tamaño con ayuda de un entero positivo colocado entre estos mismos corchetes:

```
type[] tab = new type[10];
```

Por ejemplo, si se quiere crear una tabla de diez enteros:

```
int[] tab = new int[10];
```

Cuando se ha creado una tabla, los elementos que se encuentran en el interior están clasificados en una posición, directamente accesible a través de algo llamado un índice.

Observación

Atención: un índice de tabla empieza obligatoriamente en 0 y termina en tamaño - 1. Si intenta a acceder a un índice que no existe teniendo en cuenta el tamaño de la tabla, se reenviará un error durante la ejecución en el que se le dirá que ha superado el tamaño máximo.

El acceso a un elemento dentro de una tabla permite tanto la lectura como la escritura. Para realizar este acceso mediante el índice, solo hay que añadir los corchetes después de la instancia de la tabla y colocar el valor del índice deseado:

```
tab[0] = 42;
tab[10] = 10; // aquí, habrá un error de ejecución
```

Una tabla se puede inicializar desde su construcción usando una sintaxis similar al inicializador de objetos (*object initializer*):

```
int[] tab = new int[3] { 1, 2, 3 }; // se obtiene una tabla con
3 valores ya definidos
```

Sin saberlo, ya ha usado la tabla porque esta última esta oculta detrás de la implementación de la clase `string`. En efecto, la clase `string` es, de hecho, una tabla de caracteres. Además, expone al descriptor de acceso mediante índice:

```
string valor = "Hola a todos";
var c = valor[3]; // aquí, tendremos el carácter 'j' almacenado en
esta variable
```

El acceso por índice se ha mejorado en C# 8, dando la posibilidad de definir un índice desde el final. Para hacerlo, solo hay que colocar un acento circunflejo como prefijo del valor del índice. La diferencia es que, partiendo del final, es necesario empezar en el índice 1 en lugar de 0. Si hacemos `tab[^0]`, obtenemos un error de ejecución porque esta notación es equivalente a escribir `tab[3]` para una tabla de tres elementos.

```
int[] tab = new int[3] { 1, 2, 3 };
var ultimo = tab[^1];
```

C# 8 también ha introducido el concepto de rango, que permite extraer una tabla de otra definiendo un límite mínimo (inclusivo) y un límite máximo (exclusivo), separados por dos puntos. Si se omite el límite mínimo, el compilador supone que parte del inicio de la tabla y, si se omite el límite máximo, considera que va hasta el final de la tabla:

```
int[] tab = new int[10] { 1, 2, 3, 4, 5, 6, 7, 8, 9, 10 };
int[] subTab = tab[1..3]; // contendrá 2 y 3
int[] finDeTab = tab[8..]; // contendrá 9 y 10
int[] inicioDeTabl = tab[..3]; // contendrá 1, 2 y 3
```

Una tabla puede ser multidimensional (para almacenar una matriz, por ejemplo). Para obtener este modo de funcionamiento, hay que usar la coma para separar los índices:

```
int[,] matriz = new int[3,3]; // se obtiene una matriz de 3 por 3
matriz[0,0] = 1; // se almacena 1 en 1ª fila y 1ª columna
```

Pero las tablas tienen un inconveniente: no es fácil redimensionarlas una vez que han sido definidas. Para lograr este objetivo, hay dos posibilidades:

- Se puede crear una tabla nueva del tamaño deseado y copiar la primera, elemento por elemento, en la segunda.
- Se puede usar el método `Resize` en la clase `Array`.

```
int[] pequenaTabla = new int[3];
// se quiere aumentar la tabla a 10
Array.Resize(ref pequenaTabla, 10);
```

Observación

Se observa que la llamada al método `Resize` utiliza una palabra clave que todavía no hemos visto. Esta palabra clave se verá más adelante en el libro, en el capítulo Conceptos avanzados.

Afortunadamente, el framework .NET pone a nuestra disposición una clase que permite simplificar este uso, en caso de que la colección deba poder ser aumentada dinámicamente.

1.2.3 La lista

Probablemente se trata del tipo de colección más usado; la lista ofrece la ventaja de exponer una colección de elementos y proporcionar una API que permite añadir, modificar o eliminar elementos sin preocuparse por el tamaño. Para declarar una lista, hay que usar la clase `List` y añadir después de su declaración, entre los símbolos menor y mayor que, el tipo de elementos contenidos en la lista:

```
List<type> list = new List<type>();
```

Observación

La declaración de una lista también usa una sintaxis específica, los genéricos, que veremos más adelante de manera detallada, en el capítulo Conceptos avanzados.

La lista ofrece ciertas posibilidades idénticas a las tablas:

- Permite una inicialización simplificada: `List<int> list = new List<int> { 1, 2, 3 }`.
- Ofrece un descriptor de acceso por índice: `list[2]`.

Esto se debe al hecho de que `List` usa de manera subyacente una tabla para guardar los elementos y hace el trabajo relacionado con la gestión del tamaño en lugar del desarrollador.

Así, al contrario que la tabla, la clase `List` ofrece métodos que permiten gestionar los elementos. Entre todos los posibles, estos son los más útiles:

- El método `add`, que permite añadir un elemento al final de la lista.
- El método `Remove`, que permite eliminar un elemento al final de la lista.
- El método `Insert`, que permite añadir un elemento al índice deseado.

```
List<int> list = new List<int> { 1, 2, 3 };

list.Add(4); // la lista contiene 4 elementos

list.Remove(1); // eliminación del valor 1 (no del elemento en
el índice 1). La lista contiene 2, 3 y 4

list.Insert(0, 42); // inserción del valor 42 al inicio de lista.
La lista contiene 42, 2, 3, 4
```

La clase `List` también ofrece funciones que permiten buscar uno o varios elementos según diferentes criterios, para recuperarlos o simplemente recuperar su(s) índice(s):

- El método `IndexOf`, que permite recuperar el primer índice partiendo del inicio de un elemento dado.
- El método `LastIndexOf`, que permite recuperar el último índice de un elemento dado.
- El método `Find`, que permite recuperar el primer elemento que responde a una prueba lógica.
- El método `FindLast`, que permite recuperar el último elemento que responde a una prueba lógica.

- El método FindAll, que permite recuperar todos los elementos que responden a una prueba lógica.
- El método FindIndex, que permite recuperar el primer índice de un elemento que responde a una prueba lógica.
- El método FindLastIndex, que permite recuperar el último índice de un elemento que responde a una prueba lógica.

```
List<int> list = new List<int> { 1, 2, 3, 1, 2, 1 };

int indexDebut = list.IndexOf(1); // 0 se almacenará aquí

int indexFin = list.LastIndexOf(1): // 5 se almacenará aquí

int superiorA2 = list.Find(e => e > 2); // tendremos el valor 3 aquí,
y no el índice

int igualA1 = list.FindLast(e => e == 1);

var todosSupIgA2 = list.FindAll(e => e>= 2); //tendremos una
colección de elementos superiores o iguales a 2

int primer1 = list.FindIndex(e => e == 1); // tendremos 0 porque es
el primer índice de un número igual a 1

int ultimo1 = list.FindLastIndex(e => e == 1); //tendremos 5 porque
es el último índice de un número igual a 1
```

Como se puede ver, la lista aporta una flexibilidad real respecto a la tabla, ya sea a nivel de la búsqueda o a nivel de la gestión del tamaño.

La lista expone la cantidad de elementos que contiene mediante la propiedad Count:

```
var tamano = list.Count; // aquí tendremos 6 retomando
la variable list del bloque de código anterior
```

1.2.4 Los diccionarios

Otra colección muy usada, los diccionarios permiten guardar una lista de pares clave/valor. Esto significa que disponemos de una colección que permite asociar una clave con un valor dado. La clave y el valor son tipos libremente elegidos por el desarrollador.

Observación

Debido a la implementación interna del diccionario, se recomienda encarecidamente que el tipo de datos utilizado como clave disponga de un algoritmo de hash. El diccionario usa el valor de hash para implementar un almacenamiento y una búsqueda eficaces sobre la base de la clave. Aunque se pueden usar todos los tipos, los tipos primitivos, como `int` o `string`, son candidatos ideales en cuestión de rendimiento.

El framework .NET pone a su disposición esta colección mediante la clase `Dictionary<TKey, TValue>`. Así, para declarar un diccionario que tiene un entero por clave y una cadena de caracteres por valor, se usa la siguiente declaración:

```
var dico = new Dictionary<int, string>();
```

Una vez creado el diccionario, el desarrollador no tiene que preocuparse de la gestión del tamaño ni de la cantidad de elementos, como ya sucedía con la lista. Así, es posible añadir elementos usando el método `Add`, que toma como parámetros la clave y el valor asociado:

```
dico.Add(42, "Respuesta universal");
```

Sin embargo, hay que prestar atención. La clase `Dictionary` solo autoriza los duplicados al nivel de la clave: esa operación de adición de una clave por duplicado provocará un error de ejecución. Por eso, antes de cada adición se recomienda llamar al método `ContainsKey` para comprobar si la clave ya existe y, si fuera necesario, no añadir el elemento, sino actualizarlo.

```
if(!dico.ContainsKey(42))
{
    dico.Add(42, "Respuesta universal");
}
```

La clase `Dictionary` también ofrece, del mismo modo que la lista, un descriptor de acceso con corchetes que da acceso al valor asociado, tanto en lectura como en escritura. Esta manera de asignar un valor está protegida porque si la clave no existe, la clave y el valor se insertan, mientras que si la clave existe, el valor se actualiza. Pero tenga cuidado: este descriptor de acceso usa el valor de la clave, y no un índice eventual:

```
dico[42] = "Respuesta universal"; // adición si no existe,
actualización si existe
```

En caso de intento de lectura, no obstante, si la clave no existe, la ejecución encontrará un error:

```
var valor = dico[999]; // si la clave 999 no existe, tendremos
un error de ejecución
```

También es un uso bastante habitual asociar un `Dictionary` con una colección como una lista, por ejemplo:

```
var dico2 = new Dictionary<int, List<string>>();
if(!dico2.ContainsKey(42))
{
    dico2.Add(42, new List<string> { "Respuesta universal",
"Crítica de película" });
}
dico2[42].Add("Otra frase");
```

También se puede inicializar una instancia de `Dictionary` en su creación. Se ha añadido una sintaxis nueva en C# 6 para reutilizar los corchetes. Como comparación, aquí podemos ver las dos maneras de proceder (ambas son válidas):

```
// a partir de C# 3
var dicoInit1 = new Dictionary<int, string>
{
    { 1, "Uno" },
    { 2, "Dos" }
};
// a partir de C# 6
var dicoInit2 = new Dictionary<int, string>
{
    [1] = "Uno",
    [2] = "Dos"
};
```

La clase `Dictionary` expone la cantidad de pares clave/valor que contiene mediante la propiedad `Count`:

```
var tamano = dicoInit1.Count; // aquí, tendremos 2 si nos basamos
en la variable del programa anterior
```

1.2.5 Las colecciones algorítmicas

En esta subsección, vamos a ver dos colecciones que tienen más intención algorítmica porque respetan un patrón bien definido. Aquí hablaremos de las pilas (`Stack`) y de las filas (`Queue`).

Estas dos colecciones un poco especiales imponen un orden de lectura y de inserción:

- La clase `Stack` es una pila que funciona en modo **LIFO** (*Last In, First Out* = último en entrar, primero en salir). Hay que considerar esto como una pila de platos: tomamos el primer plato de arriba, que generalmente es el último añadido.
- La clase `Queue` es una fila que funciona en modo **FIFO** (*First In, First Out* = primero en entrar, primero en salir). Hay que considerar esto como una fila de espera: cuanto más pronto entra en la fila, más pronto sale.

El orden es muy importante en estas colecciones y solo se recomienda usarlas cuando hay una auténtica necesidad, y no de manera general, porque el respeto de este orden es restrictivo.

Para crear una pila de enteros nueva, por ejemplo, se usa el siguiente código:

```
var pila = new Stack<int>();
```

Para alimentar la pila, usamos el método `Push`:

```
pila.Push(1);
pila.Push(2);
pila.Push(3);
```

Al final del código anterior, los valores 1, 2 y 3 están apilados, con el valor 3 en la parte superior de la pila. Para recuperar el último valor apilado, usamos el método `Pop`:

```
var tres = pila.Pop();
```

Después de llamar al método Pop, el valor leído se elimina automáticamente de la pila, lo que hace que, en el caso del código anterior, nuestra pila solo contenga los valores 1 y 2, con 2 situado ahora en la parte superior de la pila.

No obstante, existe un método que permite leer el último valor de la pila sin retirarlo; se trata de Peek:

```
var dos = pila.Peek();
```

Cuando se ha llamado al código de arriba, el valor 2 se encuentra en la variable llamada dos, pero la pila sigue conteniendo los valores 1 y 2.

La clase Queue funciona de manera similar, pero el orden de acceso es distinto y los métodos se llaman de diferente manera. Así, para crear una Queue nueva, se usa el siguiente código:

```
var fila = new Queue<int>();
```

Para insertar elementos en la fila, usamos el método Enqueue:

```
fila.Enqueue(1);
fila.Enqueue(2);
fila.Enqueue(3);
```

Cuando se ejecuta el código anterior, los valores 1, 2 y 3 se añaden a la fila. Para leer el primer valor, usamos el método Dequeue:

```
var uno = fila.Dequeue();
```

Del mismo modo que la clase Stack, la llamada al método Dequeue elimina el elemento en la lectura, lo que hace que la fila solo contenga los valores 2 y 3, donde 2 se ha convertido en el primero de la fila.

Al igual que la clase Stack, la clase Queue expone el método Peek, que permite leer el primer elemento sin retirarlo de la fila:

```
var dos = fila.Peek();
```

Observación

Si llamamos al método Pop en una Stack que está vacía o al método Dequeue en una Queue que está vacía, habrá un error de ejecución.

La clase Queue y la clase Stack, ambas exponen la cantidad de elementos que contienen mediante la propiedad Count.

Aunque todavía existen muchas otras colecciones disponibles en el framework .NET, aquí hemos hablado de las más utilizadas. Sin embargo, una colección no sirve de mucho si no se puede iterar (es decir, que no se puede recorrer el conjunto de sus elementos). Esto nos permite abordar la lógica algorítmica del bucle.

1.3 Los bucles

Un bucle permite repetir una operación una cantidad definida de veces. Esta cantidad de veces se puede determinar en función de un valor fijo (por ejemplo, se quiere realizar diez veces una acción determinada) o se puede obtener en función de un valor dinámico (por ejemplo, se quiere realizar una acción dada para todos los elementos de una lista).

1.3.1 Información general sobre los bucles

Antes de ver en detalle todos los medios disponibles para implantar bucles en el lenguaje C#, hay que saber que responden a términos generales comunes, que vamos a ver en esta subsección.

En primer lugar, el compilador no produce errores en la compilación si creamos un bucle infinito. Un bucle infinito existe si la condición de salida no se alcanza nunca, ya sea debido a un error de código o a código hecho a propósito. En el mejor de los casos, algunas extensiones del IDE Visual Studio podrían emitir un aviso, pero nada evitará que este código se ejecute sin parar.

Hay dos palabras claves comunes a todos los bucles:

- `break` = permite salir de manera anticipada del bucle mediante una instrucción distinta de la condición de salida. Se recomienda no usarla en exceso, porque se corre el riesgo de hacer que el código sea más difícil de entender.
- `continue` = permite pasar todo el código que sigue a la instrucción para volver a recorrer el bucle.

Estas dos palabras clave son válidas para todos los bucles.

Ahora que conocemos algunos principios básicos, vamos a estudiar los distintos bucles disponibles.

1.3.2 El bucle for

La lógica del bucle `for` es considerar tres cosas:

- Un contexto de partida.
- Una condición de fin.
- Una acción en cada iteración.

Para escribir un bucle `for`, usamos una sintaxis un poco especial, que consiste en definir estos tres elementos entre paréntesis separándolos mediante un punto y coma. El ejemplo clásico del bucle `for` es el siguiente: se quiere definir un entero que empiece por 0 y que se incremente 1 unidad en cada ciclo del bucle mientras sea menor de 10. Para obtener este comportamiento, se escribe el siguiente bucle `for`:

```
for(int i = 0; i < 10; i = i +1)
{
    Console.WriteLine("Valor actual = " + i);
}
```

No es obligatorio definir todos los valores del bucle `for` y se pueden omitir algunas partes. Por ejemplo, si la definición del contexto de partida se hace fuera del bucle `for`, se puede definir el contexto inicial como vacío. Por eso, para tener un bucle equivalente al primero, se escribe el siguiente código:

```
int i = 0;
for(; i < 10; i = i +1)
{
    Console.WriteLine("Valor actual = " + i);
}
```

También es posible salir manualmente de un bucle `for` con ayuda de la palabra clave `break`. Así, podríamos prescindir de la condición de salida:

```
for(int i = 0; ; i = i +1)
{
    Console.WriteLine("Valor actual = " + i);
    if(i >= 9)
    {
            break;
    }
}
```

De la misma manera, la acción para efectuar en cada iteración se puede trasladar al interior del bucle `for`:

```
for(int i = 0; i < 10;)
{
    Console.WriteLine("Valor actual = " + i);
    i = i + 1;
}
```

Observación

Incluso si es posible prescindir de ciertas partes de un bucle `for`, no se recomienda porque eso complica la lectura y la comprensión de la lógica subyacente.

Es posible usar la variable del bucle `for` como índice de una lista o de una tabla para recorrer todos los elementos:

```
var list = new List<int> { 1, 2, 3, 4, 5 };
for(int i = 0; i < list.Count; i = i + 1)
{
    Console.WriteLine("Valor de la lista almacenada en el índice " +
i + " = " + list[i]);
}
```

Para finalizar, en el bucle `for`, que a menudo se utiliza con una variable de tipo entero, es posible usar el incremento posterior, un método abreviado de escritura que evita escribir `i = i +1`, escribiendo `i++`:

```
for(int i = 0; i < 10; i++)
{
}
```

1.3.3 El bucle while

Es otra manera de escribir un bucle. `while` permite definir una condición de ejecución, es decir: mientras la condición es verdadera, el bucle sigue ejecutándose. Esto implica que la definición de una posible condición inicial debe hacerse antes de que haya empezado el bucle. En efecto, la condición se evalúa antes de que se haya efectuado la primera instrucción dentro del bucle, lo que quiere decir que, si la condición vale inicialmente `false`, el bucle no empieza.

Sintácticamente, el bucle `while` es bastante sencillo: usa la palabra clave `while` y la condición se define entre paréntesis. Esta condición puede ser sencilla, compuesta o almacenada dentro de una variable:

```
int i = 0;
while(i < 10)
{
    Console.WriteLine("Valor actual = " + i);
    i = i + 1;
}
```

1.3.4 El bucle do while

Es un bucle hermano del bucle `while`; el bucle `do while` funciona de manera casi similar, salvo porque permite efectuar el recorrido inicial antes de evaluar la condición `while`. Allí donde el bucle `while` pide que la condición sea verdadera, el bucle `do while` solo la comprueba al final del bucle. Sintácticamente, el bucle empieza con la palabra clave `do`, que introduce el bloque que contiene el bucle, y termina con la instrucción `while`, definiendo la condición:

```
int i = 0;
do
{
    Console.WriteLine("Valor actual = " + i);
    i = i + 1;
} while(i < 10);
```

1.3.5 El bucle foreach

Este bucle es un poco especial porque no corresponde a una iteración sobre la base de una condición, sino sobre la base de una colección. En efecto, el bucle `foreach` permite recorrer una colección y efectuar una acción con cada elemento. Sintácticamente, el bucle empieza por la palabra clave `foreach`, seguida de una instrucción que permite la asignación de una variable correspondiente al elemento actual.

El bucle `foreach` es capaz de pasar de sí mismo al elemento siguiente:

```
var list = new List<int> { 1, 2, 3, 4, 5 };
foreach(var entero in list)
{
```

```
        Console.WriteLine("Valor actual = " + entero);
    }
```

Observación

El bucle `foreach` es un método abreviado de escritura para usar el patrón `Ienumerable` (que veremos más adelante en este capítulo); hay que prestar atención al cuerpo del bucle. En efecto, el compilador no generará un error de compilación, pero habrá un error en la ejecución si se intenta modificar el contenido de la colección que estamos iterando en este momento. Por lo tanto, no es posible añadir o eliminar un elemento de la colección desde un bucle `foreach`.

1.3.6 La palabra clave yield

Dentro de un bucle y de un método, hay una palabra clave que permite evitar la creación de una variable intermedia para almacenar los valores que va a devolver la función y declarar que se quiere devolver el valor en curso. Esta palabra clave es `yield`.

Así, al imaginar que se quiere crear un método que devuelve la lista de los enteros entre dos límites, donde estos dos valores se han pasado como parámetros, se podría usar la palabra clave de la siguiente manera:

```
public IEnumerable<int> GetValues(int min, int max)
{
    for(int i = min; i < max; i++)
    {
          yield return i;
    }
}
```

No es necesario crear una variable intermedia y devolverla porque todo se puede hacer durante la ejecución del bucle.

1.3.7 Ejercicio - enunciado

Usando los conceptos de bucle y colección, vamos a mejorar nuestro juego para aportarle un poco más de reactividad y dinamismo. La primera versión presentaba algunas lagunas que hay que corregir:

- Si el usuario escribe un número erróneo (menor o igual a 0) o no es convertible en entero, la aplicación se para. Habría que pedir de nuevo que volviera a escribirlo hasta obtener un valor correcto.
- Si el usuario se equivoca durante la adivinanza, el juego se para. Habría que guardar los números que ya ha introducido y proponer la posibilidad de volver a jugar. También se puede prever un nivel de dificultad con una cantidad máxima de intentos.

Para llevarlo a cabo, hay que permitir que el usuario abandone cuando quiera. Para hacerlo, consideramos que, cuando se introduce la letra «s», significa que el jugador quiere salir (en cualquier momento del juego). Por lo tanto, la lógica es la siguiente:

- Pedirle al usuario que escriba el límite máximo. Si el valor no es correcto (no es un número o es menor o igual a cero), pedirle que vuelva a escribirlo. Si el usuario pulsa «s», salir del programa.
- Calcular el número aleatorio.
- Pedirle al jugador que elija el nivel de dificultad (número entre 1 y 3, donde 1 es fácil = 10 intentos, 2 es medio = 5 intentos y 3 es difícil = 3 intentos).
- Si al jugador le quedan intentos, no ha encontrado el número oculto y no ha decidido salir, comprobar si es correcto.
- Al llegar al final del juego, mostrar el resultado.

Para salir del programa de manera prematura, se puede usar la instrucción `Environment.Exit(0)`.

Además, se recomienda mostrar en cada turno del juego y en la parte superior de la pantalla los números ya introducidos, después de haberla limpiado previamente. Esta acción se puede realizar gracias a `Console.Clear()`.

Se puede usar una función estática de la clase `String`, `Join`, que permite concatenar cada valor de una colección.

Por último, es posible comprobar que el valor introducido por el usuario se puede transformar en entero gracias al método `int.TryParse`, como aquí:

```
var entrada = Console.ReadLine();
if(int.TryParse(entrada, out int valor))
{
    // aquí tenemos una variable de tipo int que se llama valor
}
else
{
    // la entrada no se puede transformar en entero
}
```

¡Le toca a usted!

1.3.8 Ejercicio - solución

Como siempre, es posible que su solución sea distinta de la propuesta en esta subsección: si se respeta el principio del enunciado, no supone ningún problema. Aquí puede ver una solución para mejorar el juego:

```
using System;
using System.Collections.Generic;

namespace AdivinaElNumero
{
    class Program
    {
        static void Main(string[] args)
        {
            int limiteMaximo = 0;
            string entrada = string.Empty;
            do
            {
                Console.WriteLine("Escriba el límite máximo del
número para adivinar");
                entrada = Console.ReadLine();
                if (entrada == "s")
                {
                    Environment.Exit(0);
                }
            } while (!int.TryParse(entrada, out limiteMaximo) &&
limiteMaximo <= 0);
            System.Console.WriteLine("Elija el nivel de dificultad
(1 = fácil, 2 = medio, 3 = difícil)");
            int numIntentos = 5;
```

```
            if (int.TryParse(Console.ReadLine(), out int dificultad))
            {
                numIntentos = dificultad switch
                {
                    1 => 10,
                    2 => 5,
                    3 => 3,
                    _ => 5
                };
            }

            var random = new Random();
            var numero = random.Next(0, limiteMaximo + 1);
            bool? estadoJuego = null;
            List<int> intentos = new List<int>();
            while (!estadoJuego.HasValue)
            {
                Console.Clear();
                Console.WriteLine("Números ya usados: " +
string.Join(", ", intentos));
                Console.WriteLine("Intente adivinar el número oculto");
                entrada = Console.ReadLine();
                if (entrada == "s")
                {
                    Environment.Exit(0);
                }
                if (int.TryParse(entrada, out int adivina))
                {
                    intentos.Add(adivina);
                    if (adivina == numero)
                    {
                        estadoJuego = true;
                        break;
                    }
                    else if (adivina > numero)
                    {
                        Console.WriteLine("El número para adivinar es
menor");
                    }
                    else
                    {
                        Console.WriteLine("El número para adivinar es
mayor");
                    }
                    if (intentos.Count >= numIntentos)
                    {
                        estadoJuego = false;
                        break;
```

```
                    }
                }
                System.Console.WriteLine("Pulse Intro
para continuar");
                Console.ReadLine();
            }
            if (estadoJuego.HasValue)
            {
                if (estadoJuego.Value)
                {
                    System.Console.WriteLine("¡Ha ganado!");
                }
                else
                {
                    System.Console.WriteLine("¡Ha perdido! El número
para adivinar era " + numero);
                }
            }
        }
    }
}
```

Como podemos constatar, la entrada del límite máximo se repite hasta que el usuario haya introducido un valor correcto. Una vez pasada esta primera etapa, se elige la dificultad (aquí, se puede ver la expresión nueva `switch` para ser más concisos, sin omitir la comprobación predeterminada). Después, preparamos el núcleo del juego, creando una colección que hace posible listar todos los intentos efectuados y creando un bucle que permite que el jugador juegue hasta uno de los finales del juego (gana o pierde). Por último, se muestra el estado del juego.

2. Gestión de los errores

Hemos mencionado muchas veces en el libro los errores que podrían suceder cuando se ejecuta el código. Es el momento de ponerles nombre: se trata de excepciones. Una excepción es un error que se encuentra en la ejecución. Puede ser imprevisto (debido a un bug) o planificado de manera voluntaria. Primero vamos a ver qué es una excepción.

2.1 Concepto de una excepción

Como se indica arriba, una excepción es una instancia de una clase especial que representa un error de ejecución. Pero, para poder usar este error, tiene que llevar dos datos:

- El tipo de error.
- Información sobre el error.

Como el lenguaje C# está fuertemente tipado, usamos el tipo de la clase de la excepción para transmitir la información del tipo de error. Por ejemplo, una de las excepciones más habituales es `NullReferenceException`, procedente de la clase del mismo nombre. Esta excepción lleva el siguiente tipo de error: ha habido un intento de acceso a un dato en un objeto que no ha sido asignado (que es igual a `null`).

Por otro lado, como una excepción es una instancia de una clase, se le puede añadir información mediante propiedades. Sin embargo, una clase de excepción debe heredar forzosamente de la clase del framework .NET `Exception` para que sea posible usar todo el mecanismo de gestión de errores del framework.

Por ejemplo, para crear una excepción personalizada, se escribe el siguiente código:

```
public class MiExcepcion : Exception { }
```

Por defecto, la clase de base `Exception` proporciona varios datos que se pueden usar. Se usan con más frecuencia los siguientes:

- `Message` contiene el mensaje de texto generado automáticamente por el framework o añadido por el desarrollador (a menudo es el primer parámetro del constructor de una excepción).
- `InnerException` contiene una posible excepción interna, que también transmite información. Este dato se usa con frecuencia en el marco de la gestión de excepciones que traspasa varias capas de código.

2.2 Devolver una excepción

Cuando el desarrollador quiere avisar de que hay que desencadenar un error, hay que devolver una excepción. Para que sea posible, hay que efectuar estas acciones:

- Crear una instancia nueva de una clase que representa una excepción.
- Usar la palabra clave `throw` con la instancia creada de esta manera para decirle a la runtime que devuelva la excepción.

Observación

La creación de la instancia y la devolución con la palabra clave `throw` se pueden hacer en una sola instrucción, algo que suele suceder porque no es habitual declarar una variable de tipo excepción para usarla más tarde.

Por ejemplo, si se quiere devolver una excepción de tipo `InvalidOperationException` (indica que la operación solicitada no es válida), se puede proceder de la siguiente manera:

```
public decimal Division(decimal a, decimal b)
{
    if(b == 0)
    {
            throw new InvalidOperationException("No se puede
dividir entre 0");
    }
    return a / b;
}
```

Conceptualmente, hay que considerar que una excepción es como una burbuja, es decir, que subirá por todas las capas de código desde el momento en el que se emita hasta que se gestione (veremos cómo hacerlo en la siguiente subsección) o hasta que el comportamiento predeterminado se ocupe de ella porque el programador no la ha gestionado. Si consideramos el siguiente encadenamiento de métodos:

```
public static void Main(string[] args)
{
    Calcular();
}
public static void Calcular()
```

```
{
    Console.WriteLine("Ha empezado la división");
    RecuperarEntrada();
}
public static void RecuperarEntrada()
{
    Console.WriteLine("Introducir el primer número");
    decimal one = decimal.Parse(Console.ReadLine());
    Console.WriteLine("Introducir el segundo número");
    decimal two = decimal.Parse(Console.ReadLine());
    Console.WriteLine("Resultado = " + Dividir(one, two));
}
public static decimal Dividir (decimal a, decimal b)
{
    if(b == 0)
    {
          throw new InvalidOperationException("No es posible
dividir entre 0");
    }
    return a / b;
}
```

Si el usuario introduce 0 como segundo número, la excepción nace dentro del método `Dividir`, pero, como no se ha gestionado allí, sube al método que hace la llamada `RecuperarEntrada`. Este método tampoco gestiona la excepción,lo que hace que vuelva a subir a `Calcular`. Por último, como `Calcular` tampoco gestiona la excepción, la gestiona el método `Main` y, dado que no hay ninguna gestión manual, la runtime .NET se encarga de la gestión.

Sin embargo, esto provoca el paro de la aplicación, con el guardado de la información del accidente (especialmente en el gestor de eventos de Windows si el programa se ejecuta bajo Windows, o directamente en la consola):

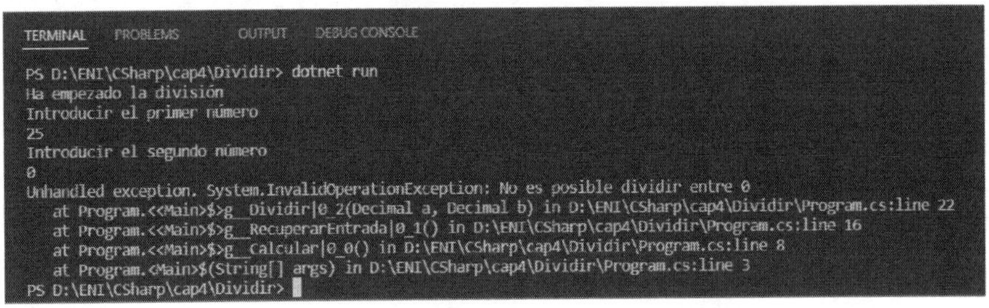

```
TERMINAL   PROBLEMS   OUTPUT   DEBUG CONSOLE

PS D:\ENI\CSharp\cap4\Dividir> dotnet run
Ha empezado la división
Introducir el primer número
25
Introducir el segundo número
0
Unhandled exception. System.InvalidOperationException: No es posible dividir entre 0
   at Program.<<Main>$>g__Dividir|0_2(Decimal a, Decimal b) in D:\ENI\CSharp\cap4\Dividir\Program.cs:line 22
   at Program.<<Main>$>g__RecuperarEntrada|0_1() in D:\ENI\CSharp\cap4\Dividir\Program.cs:line 16
   at Program.<<Main>$>g__Calcular|0_0() in D:\ENI\CSharp\cap4\Dividir\Program.cs:line 8
   at Program.<Main>$(String[] args) in D:\ENI\CSharp\cap4\Dividir\Program.cs:line 3
PS D:\ENI\CSharp\cap4\Dividir>
```

Resultado de la ejecución

Como se puede comprobar en la captura de la consola que aparece antes, si se intenta realizar una división entre 0, se devuelve y se muestra una excepción del tipo `InvalidOperationException`. Sin embargo, también constatamos que el mensaje empieza por *Unhandled exception*, lo que significa que la excepción ha sido capturada en el nivel más alto del programa, por la runtime .NET, y no ha sido gestionada por el programador en el nivel de su código.

Por fortuna, el lenguaje C# pone a nuestra disposición mecanismos que permiten capturar y gestionar las excepciones.

2.3 Gestionar una excepción

Cuando se ejecuta un fragmento de código, es posible que se encuentre una excepción. Esta excepción puede llegar de forma voluntaria (como en el ejemplo de arriba, donde validaba un trabajo de limitación) o de manera involuntaria (en el caso de un bug).

2.3.1 Bloques try, catch y finally

Se puede crear un contexto de ejecución protegido donde, si encontramos una excepción, podemos pedir que sea capturada y definir cómo queremos gestionarla.

Para hacerlo, el lenguaje C# pone a nuestra disposición tres palabras clave:

- `try`, que permite definir un bloque de ejecución con gestión de las excepciones.
- `catch`, que permite definir un bloque de gestión de una excepción capturada.
- `finally`, que permite definir un bloque para ejecutar en todos los casos (tanto si se encuentra con una excepción como si no).

Observación

Un bloque `try` no puede existir solo; necesariamente va seguido de un bloque `catch` o de un bloque `finally` e incluso de los dos.

Así, para gestionar el error en el ejemplo anterior, hay que escribir el siguiente código:

```
public static void Main(string[] args)
{
    try
    {
        Calcular();
    }
    catch
    {
        var color = Console.ForegroundColor;
        Console.ForegroundColor = ConsoleColor.Red;
        Console.WriteLine("Se ha encontrado un error");
        Console.ForegroundColor = color;
    }
    finally
    {
        Console.WriteLine("Fin del programa");
    }
}
public static void Calcular()
{
    Console.WriteLine("Ha empezado la división");
    RecuperarEntrada();
}
public static void RecuperarEntrada()
{
    Console.WriteLine("Introducir el primer número");
    decimal one = decimal.Parse(Console.ReadLine());
    Console.WriteLine("Introducir el segundo número");
    decimal two = decimal.Parse(Console.ReadLine());
    Console.WriteLine("Resultado = " + Dividir(one, two));
}
public static decimal Dividir(decimal a, decimal b)
{
    if (b == 0)
    {
        throw new InvalidOperationException("No es posible
dividir entre 0");
    }
    return a / b;
}
```

Después de modificarlo de esta manera, al ejecutar este código obtenemos el siguiente resultado:

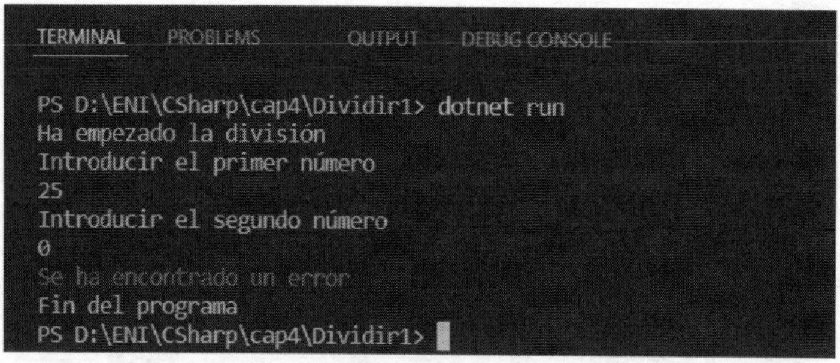

```
TERMINAL   PROBLEMS   OUTPUT   DEBUG CONSOLE

PS D:\ENI\CSharp\cap4\Dividir1> dotnet run
Ha empezado la división
Introducir el primer número
25
Introducir el segundo número
0
Se ha encontrado un error
Fin del programa
PS D:\ENI\CSharp\cap4\Dividir1>
```

Resultado de la ejecución con gestión de los errores

Sin embargo, hay una limitación porque, aquí, nuestro bloque `catch` es genérico y no permite distinguir el tipo de error que ha sucedido. Por supuesto, lo que se muestra al usuario debe estar lo más separado posible de artefactos técnicos (por ejemplo, es inútil mencionarle que se ha devuelto una excepción de tipo `InvalidOperationException`, esto no le ayudará). Sin embargo, no es posible distinguir las diferentes excepciones con las que podría encontrarse. Por suerte, se pueden añadir limitaciones en un bloque `catch` en C#.

2.3.2 Filtro en bloque catch

En el ejemplo anterior, hemos hecho un bloque catch sencillo, que capta todas las excepciones que se pueden devolver. Con ese fin, no se pueden hacer distinciones entre excepciones de un tipo u otro. Sin lugar a duda, este bloque es más genérico, y de hecho más seguro (no deja pasar ninguna excepción), pero no permite gestionar casos muy precisos.

Con la palabra `catch` entre paréntesis, se puede especificar el tipo de excepción que se desea gestionar dentro del bloque `catch` en particular. También se puede añadir un nombre de variable después del tipo para obtener, en el marco del bloque `catch`, una variable que representa la excepción capturada de esta manera. Usando esta sintaxis se pueden encadenar distintos bloques `catch`, donde cada uno captura un tipo de excepción diferente.

Esto permite una gestión más detallada y adaptada a cada caso:

```
    try
    {
        Calcular();
    }
    catch (InvalidOperationException i) // con variable
    {
        var color = Console.ForegroundColor;
        Console.ForegroundColor = ConsoleColor.Red;
        Console.WriteLine("Ha efectuado una operación
prohibida (división entre cero)");
        Console.ForegroundColor = color;
    }
    catch (NullReferenceException) // sin variable      {
        var color = Console.ForegroundColor;
        Console.ForegroundColor = ConsoleColor.Red;
        Console.WriteLine("Se ha encontrado un bug en el código");
        Console.ForegroundColor = color;
    }
    catch // sin tipo
    {
        var color = Console.ForegroundColor;
        Console.ForegroundColor = ConsoleColor.Red;
        Console.WriteLine("Se ha encontrado un error
desconocido");
        Console.ForegroundColor = color;
    }
    finally
    {
        Console.WriteLine("Fin del programa");
    }

static void Calcular()
{
    Console.WriteLine("Ha empezado la división");
    RecuperarEntrada();
}

static void RecuperarEntrada()
{
    Console.WriteLine("Introducir el primer número");
    decimal one = decimal.Parse(Console.ReadLine());
    Console.WriteLine("Introducir el segundo número");
    decimal two = decimal.Parse(Console.ReadLine());
```

```
    Console.WriteLine("Resultado = " + Dividir(one, two));
}

static decimal Dividir(decimal a, decimal b)
{
    if (b == 0)
    {
        throw new InvalidOperationException("No es posible
dividir entre 0");
    }
    return a / b;
}
```

Como podemos observar en este ejemplo, se pueden tener distintos bloques `catch`. Así, la runtime C# entra en el primer bloque para el que se puede cumplir la condición. Por eso es importante el orden; hay que prestar atención y evitar gestionar los casos más genéricos primero porque si no, nunca se llega a los casos específicos.

C# 6 introdujo el concepto de filtro en un bloque `catch` gracias a la palabra clave `when`. Así, se puede definir un bloque `catch` especificando que se ejecuta este bloque si la condición del filtro también se ha validado. Tomando por ejemplo una excepción de tipo `WebException`, que traduce un error que ha aparecido durante una consulta HTTP, se puede añadir un filtro para gestionar solo algunos casos:

```
try
{
    HacerUnaConsultaWeb();
}
catch (WebException exc) when (exc.Status ==
WebExceptionStatus.CacheEntryNotFound)
{
    Console.WriteLine("No se ha encontrado el recurso");
}
```

2.4 Excepciones y rendimientos

La gestión de las excepciones es un mecanismo muy interesante en cuestión de seguridad del código. Sin embargo, es recomendable prestar atención y no usarlo en exceso para gestionar limitaciones que se podrían tratar de otra manera. Por ejemplo, en el ejercicio de la sección Bases de algoritmia, la versión final usa el método `TryParse` para definir si se puede convertir el valor. Una alternativa habría podido ser usar el sistema de excepción para obtener un resultado similar, como este:

```
using System;
using System.Collections.Generic;

int limiteMaximo = 0;
string entrada = string.Empty;
bool estInt = false;
do
{
    Console.WriteLine("Introducir el límite máximo del número
para adivinar");
    entrada = Console.ReadLine();
    if (entrada == "q")
    {
        Environment.Exit(0);
    }
    else
    {
        try
        {
            limiteMaximo = int.Parse(entrada);
            estInt = true;
        }
        catch
        {
            estInt = false;
        }
    }
} while (!estInt && limiteMaximo <= 0);
```

Este planteamiento es funcional, pero no usa el sistema de gestión de las excepciones con moderación. En efecto, el tratamiento de una excepción debe ser excepcional y no utilizarse para gestionar reglas lógicas o trabajo. Así es: la gestión de las excepciones tiene un coste nada despreciable en lo que a rendimiento se refiere. Hay que usar el bloque `try/cath` solo si se quiere gestionar errores no anticipados.

Capítulo 5
LINQ

1. Funcionamiento básico

Las expresiones lambda llegaron con la versión 3 del lenguaje C# y han transformado la rutina diaria de los programadores. Una expresión lambda, también llamada una lambda, es una manera de escribir una función directamente dentro de una línea sin tener que definirla explícitamente dentro de la clase. La ventaja de este planteamiento es que, a partir de ese momento, esta función se puede usar como variable y ser ejecutada por otra función, e incluso pasarse directamente a una función. Esta manera nueva de escribir una función (también llamada a veces función flecha) es un método abreviado muy apreciado y ampliamente utilizado. Además, a partir de la versión 3 del framework .NET, Microsoft incluyó un sistema nuevo de gestión de las colecciones: LINQ (*Language INtegrated Query*).

Es frecuente que los programadores se tengan que enfrentar a una base de datos durante la creación de un proyecto. Muchos conocen el lenguaje SQL, norma extendida para los sistemas de gestión de bases de datos relacionales.

Desde una perspectiva de mutualización de las competencias, Microsoft introdujo LINQ dentro del framework .NET para que los desarrolladores .NET pudieran considerar a todas las colecciones como una base de datos y tuvieran un lenguaje de consulta dentro del código C# similar al proporcionado por SQL.

LINQ se usa en muchas variantes; las más difundidas son las siguientes:

- **LINQ-To-Objects**: permite trabajar con colecciones en memoria (vamos a verlo en este capítulo).
- **LINQ-To-SQL**: permite traducir las consultas LINQ a su equivalente SQL. Este planteamiento se usa especialmente para los sistemas de acceso a los datos, como Entity Framework Core, por ejemplo, que se ocupa de traducir la consulta LINQ en SQL, siempre y cuando el operador sea traducible. Para eso, cuando estudiemos los operadores, mencionaremos los operadores compatibles con una traducción SQL.

Esta aportación permite hacer consultas en las colecciones de nuestra aplicación con facilidad y obtener de ellas otra colección. Todas las colecciones que se pueden enumerar implementan (entre otras) la interfaz `IEnumerable<T>`, como aquí la definición de la clase `List<T>` del framework:

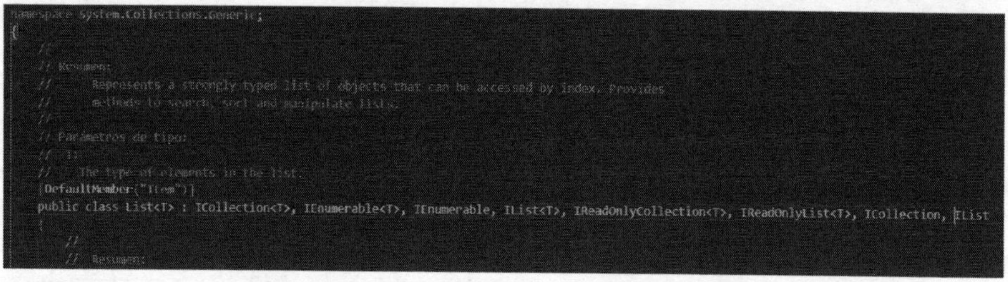

```
namespace System.Collections.Generic;
{
    //
    // Resumen:
    //     Represents a strongly typed list of objects that can be accessed by index. Provides
    //     methods to search, sort and manipulate lists.
    //
    // Parámetros de tipo:
    //   T:
    //     The type of elements in the list.
    [DefaultMember("Item")]
    public class List<T> : ICollection<T>, IEnumerable<T>, IEnumerable, IList<T>, IReadOnlyCollection<T>, IReadOnlyList<T>, ICollection, IList
    {
        //
        // Resumen:
```

Detalle de las interfaces de la clase List<T>

Partiendo de esta sencilla constante, el planteamiento propuesto por el equipo de Microsoft es crear un conjunto de métodos de extensión, es decir, métodos que no están incluidos en el tipo básico, pero que se añaden a él (los métodos de extensión se tratan en la sección Métodos de extensión del capítulo Conceptos avanzados). Entonces, esto significa que cada clase que implementa `IEnumerable<T>` puede usar los métodos disponibles en LINQ.

Todos los métodos están guardados en el espacio de nombres `System.Linq`, que hay que importar mediate una instrucción `using` escrita en el encabezado del archivo. Una vez realizada esta operación, se puede observar una lista considerable de métodos adicionales disponibles:

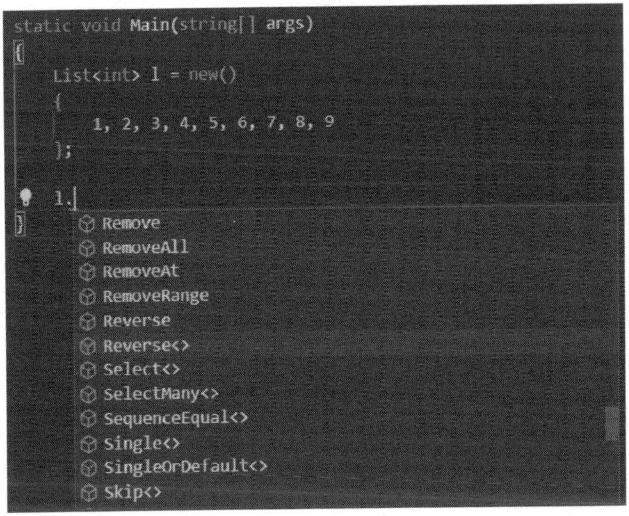

```
static void Main(string[] args)
{
    List<int> l = new()
    {
        1, 2, 3, 4, 5, 6, 7, 8, 9
    };

    l.
}
        Remove
        RemoveAll
        RemoveAt
        RemoveRange
        Reverse
        Reverse<>
        Select<>
        SelectMany<>
        SequenceEqual<>
        Single<>
        SingleOrDefault<>
        Skip<>
```

Lista de los métodos accesibles en una clase de tipo List<T>

Como se puede observar, nos encontramos con una terminología bastante similar a la de las consultas SQL: `SELECT`, `WHERE`, `ORDER BY`, etc,. son los operadores.

Pero antes de estudiar los operadores, es necesario comprender un tipo de objeto un poco especial en C#: las variables anónimas.

2. Variables anónimas

C# es un lenguaje fuertemente tipado, lo que hace que un objeto de un tipo dado no pueda cambiar de tipo durante su existencia. Sin embargo, con la llegada de LINQ se quiere recuperar un conjunto de valores que tienen una agrupación lógica, pero sin hacer una clase o una estructura definida.

Con la versión 3 de C# se ha introducido el concepto de variable anónima. Se trata de crear un objeto, fuertemente tipado, pero que no pertenece a un tipo conocido ni declarado. Esta flexibilidad permite crear un objeto a medida, que siempre respeta todas las limitaciones. Por ejemplo, si queremos crear un coche sin tener que definir una clase para alojar los datos relacionados, escribimos el siguiente código:

```
var coche = new { Marca = "Peugeot", Caballos = 120, Funciona =
true };
```

Como se puede comprobar, no hay tipo después de la instrucción `new`. La apertura de las llaves permite definir directamente la lista de las propiedades que contendrá este objeto. Esta flexibilidad es muy útil para generar de inmediato un objeto como retorno de la consulta LINQ, a fin de producir un objeto nuevo a partir de datos de una colección de objetos conocidos.

3. Principios de los operadores LINQ

Observación

De manera nativa, LINQ proporciona una gran cantidad de operadores. Si la lista propuesta no es suficiente para usted, hay un proyecto comunitario que añade muchos otros: https://github.com/morelinq/MoreLINQ. Por nuestra parte, nos conformaremos con estudiar en este capítulo los que se proporcionan de manera nativa en el framework.

En primer lugar, hay que comprender que LINQ funciona en un orden inverso al de SQL. En efecto, es frecuente que una consulta de SQL simple se formule de esta manera:

```
SELECT ... FROM Table WHERE ... ORDER BY ...
```

Al traducir esta consulta a español, se obtiene la siguiente lógica: en la tabla Table (FROM), donde se aplica una condición (WHERE), ordenando las líneas según un orden (ORDER BY), recupérame las siguientes columnas (SELECT).

Los operadores LINQ toman como parámetro una lambda que define lo que se espera mediante el método. La mayoría de las lambdas para LINQ están formadas de la siguiente manera: la lambda toma como parámetro la instancia actual que corresponde al elemento actual de las colecciones y la usa en el cuerpo de la función. Se puede pasar por una función clásica para obtener el mismo resultado. Así, las dos maneras siguientes de escribir son similares:

```
public void TestLinq()
{
    List<int> l = new()
    {
            1, 2, 3, 4, 5, 6, 7, 8, 9
    };
    var enteros = l.Where(i => i < 3);
    var enteros2 = l.Where(Filtro);
}

public bool Filtro(int i)
{
    return i < 3;
}
```

El segundo caso es menos frecuente porque el nombre de la función que debe ser llamada para el filtro se pasa como parámetro al operador LINQ. Esto solo funciona si la función tiene el número, tipos de parámetros y tipo de devolución correctos; por eso se recomienda usar las funciones flecha.

Algunos operadores trabajan con un valor de la colección y producen un retorno bajo la forma de un booleano, ya que es una prueba que se evalúa para cada uno de los elementos (como el Where, por ejemplo):

```
List<int> l = new()
{
    1, 2, 3, 4, 5, 6, 7, 8, 9
};
var enterosMenoresDeCinco = l.Where(i => i < 5);
```

Esta consulta itera en todos los elementos de la lista de enteros y evalúa, para cada uno de ellos, si responde o no a la prueba de lambda. En el caso actual, lambda es una función que toma un parámetro de tipo `int` (aquí se ha llamado `i`) y devuelve un booleano.

Si la prueba devuelve verdadero, el valor está disponible en la colección nueva; en caso contrario, el valor se ignora. Podemos observar que la colección inicial permanece sin cambios porque se produce una colección nueva (aquí, se guarda en la variable llamada `enterosMenoresDeCinco`).

Otros operadores LINQ no ofrecen devolver un booleano, sino seleccionar el valor que se desea tratar dentro de la colección. Tomemos un ejemplo un poco más complejo para ilustrar esto. Consideremos una lista de coches:

```
public class Coche
{
    public string Marca { get; set; }
    public int Caballos { get; set; }
}
public class Cap5Linq
{
    static void Main(string[] args)
    {
        var coches = new List<Coche>
        {
            new Coche{ Marca = "Peugeot", Caballos = 120 },
            new Coche{ Marca = "Renault", Caballos = 110 },
            new Coche{ Marca = "Citroën", Caballos = 90 },
            new Coche{ Marca = "Ferrari", Caballos = 250 },
        };
    }
}
```

Ya hemos visto cómo filtrar una lista. Por ejemplo, si queremos obtener la lista de los coches que tienen 120 caballos o menos, se usa la siguiente consulta para recuperar una lista nueva de coches filtrados:

```
var cochesPocosCaballos = coches.Where(c => c.Caballos <= 120);
```

Tras esta instrucción, nos encontramos con una colección nueva que solo contiene los coches de la primera colección cuya cantidad de caballos es inferior o igual a 120.

Observación

Considerando que `Coche` es una clase, y por lo tanto un tipo de referencia, nuestras dos colecciones comparten los mismos datos en memoria. Esto significa que, si se usa una u otra colección para modificar un valor de un elemento (por ejemplo, actualizando la cantidad de caballos), las dos colecciones verán que el objeto se modifica porque las dos listan el mismo puntero de memoria y, por lo tanto, el mismo objeto.

Sin embargo, si solo se quiere recuperar la marca de los coches que tienen pocos caballos, estamos obligados a usar otro operador: `Select`. Gracias a este operador es posible definir el(los) valor(es) que queremos recuperar. Se observa que el operador LINQ `Where` también devuelve una colección que implementa la interfaz `IEnumerable`; por eso se pueden encadenar las llamadas:

```
var cochesPocosCaballos = coches.Where(c => c.Caballos
<= 120).Select(c => c.Marca);
```

Al final de la evaluación de esta consulta LINQ, no obtenemos una colección de coches nueva, sino una colección nueva de `string`, que contiene las marcas de coches que tienen 120 caballos o menos.

Antes de continuar, es necesario comprender algo sobre el tipo `IEnumerable<T>`. Este tipo, que es el básico cuando se trabaja con LINQ, indica que tenemos un puntero en una colección. La colección a la que apunta quizás no ha sido evaluada (más tarde veremos, en esta sección, operadores LINQ de evaluación). Esto quiere decir que, hasta que no se ha recorrido la colección, no ha sido evaluada. Este concepto es importante porque implica que la consulta LINQ construida sigue siendo completamente virtual mientras no se recorra. Para ilustrar esto, vamos a retomar el método anterior, pero añadiendo una instrucción dentro del filtro:

```
bool seHaRecorrido = false;
var cochesPocosCaballos = coches
    .Where(c => { seHaRecorrido = true; return c.Caballos <= 120; })
    .Select(c => c.Marca);
Console.WriteLine("¿Colección recorrida? " + seHaRecorrido);
```

Si se ejecuta la aplicación que contiene el código anterior, se puede ver que el booleano `seHaRecorrido` contiene `false`, lo que quiere decir que no se ha ejecutado el código dado a la función `Where`. Sin embargo, si se decide hacer un `foreach` en la variable `cochePocosCaballos`, podemos constatar que el booleano ha pasado a `true` porque `Where` ha sido evaluado durante el recorrido. Esto significa que, mientras no haya decidido explotar la variable `IEnumerable<T>`, es libre de construirla sin riesgo.

Ahora que hemos precisado este concepto, es el momento de ver los operadores que ofrece el framework.

Estos operadores se dividen en tres categorías:

- Los operadores de producción de colección: partiendo de una colección, se obtiene otra colección más específica o genérica.
- Los operadores de selección: partiendo de una colección, se recupera un valor escalar o un elemento específico.
- Los operadores de generación: partiendo de nada, se obtiene una colección.

3.1 Operadores de producción

La mayoría de los operadores se encuentran en esta categoría. Sin embargo, esta categoría se divide en subcategorías. Así, tenemos los siguientes elementos:

- Los operadores de filtrado. De una colección de elementos de tipo `T`, se obtiene una colección nueva de elementos de tipo `T`.
  - `Where`: filtra una colección para obtener otra colección que responde a una condición enunciada:

```
var lista = new List<int> { 1, 2, 3, 4, 5 };
var filtro = lista.Where(i => i >= 2); // Contendrá 2, 3, 4 y 5
```

  - `Take`: recupera un número finito de elementos (valor entero) desde el inicio de la colección:

```
var lista = new List<int> { 1, 2, 3, 4, 5 };
var take = lista.Take(3); // Contendrá 1, 2 y 3
```

– `Skip`: ignora un número finito de elementos (valor entero) desde el inicio de la colección y recupera el resto:

```
var lista = new List<int> { 1, 2, 3, 4, 5 };
var skip = lista.Skip(2); // Contendrá 3, 4 y 5
```

– `TakeWhile`: recupera elementos si la evaluación de lambda devuelve verdadero:

```
var lista = new List<int> { 1, 2, 3, 4, 5 };
var takeWhile = lista.TakeWhile(i => i < 3); // Contendrá 1 y 2
```

– `SkipWhile`: ignora los elementos si la evaluación de lambda devuelve verdadero:

```
var lista = new List<int> { 1, 2, 3, 4, 5 };
var skipeWhile = lista.SkipWhile(i => i < 3); // Contendrá 3, 4 y 5
```

– `Distinct`: devuelve los elementos comparándolos unos con otros para recuperar solo los elementos únicos:

```
var lista = new List<int> { 1, 1, 2, 3, 3, 4, 5, 5, 5 };
var skipeWhile = lista.Distinct(); // Contendrá 1, 2, 3, 4 y 5,
donde cada valor está presente una sola vez
```

Observación

A excepción de `TakeWhile` y `SkipWhile`, los otros operadores tienen un equivalente nativo en SQL.

Observación

Para que el operador `Distinct` pueda funcionar, la comparación debe ser posible. Es necesario que esta comparación esté presente directamente dentro de la clase (gracias a la anulación del método `Equals` y `GetHashCode` o implementando la interfaz `IEquatable<T>`) o pasando como parámetro un comparador personalizado (clase que ha implementado `IEqualityComparer<T>`).

- Los operadores de proyección. De una colección de elementos de tipo `T`, se obtiene una colección de elementos nueva de tipo `T2`, donde `T2` es una transformación obtenida a partir de los valores contenidos en `T`.
  - `Select`: selección de un valor en la colección de elementos:

```
var coches = new List<Coche>
{
    new Coche{ Marca = "Peugeot", Caballos = 120 },
    new Coche{ Marca = "Renault", Caballos = 110 },
    new Coche{ Marca = "Citroën", Caballos = 90 },
    new Coche{ Marca = "Ferrari", Caballos = 250 },
};
var marcas = coches.Select(c => c.Marca); // recupera la
colección de las marcas de coches, que es una colección de string
```

Observación

`Select` es un operador muy flexible, se puede recuperar cualquier objeto cuando se evalúa, y no solo un valor dado.

  - `SelectMany`: examen minucioso de colecciones insertadas en una colección:

```
var cochesPorAno = new Dictionary<int, List<Coche>>
{
    [1990] = new List<Coche> { new Coche { Marca = "Peugeot 1990" } },
    [1995] = new List<Coche> { new Coche { Marca = "Renault Clio" } },
    [2000] = new List<Coche> { new Coche { Marca = "Peugeot 307" },
new Coche { Marca = "Citroën Saxo" } },
    [2007] = new List<Coche> { new Coche { Marca = "Peugeot 308" },
new Coche { Marca = "Renault Megane" } },
};
var todosLosCoches = cochesPorAno.SelectMany(v => v.Value);
```

- Los operadores de unión. De una colección de elementos de tipo `T` y de una colección de elementos de tipo `T2`, se obtiene una colección de elementos de tipo `T3` resultante, poniendo en común `T` y `T2` a partir de criterio(s) compartido(s). Observe que el operador también funciona con dos colecciones del mismo tipo.
  - `Join`: recuperación de una colección nueva aplicando una lógica de unión entre dos colecciones sobre la base de un criterio común. Este operador parte de una colección para efectuar la unión con otra, después define en primer lugar el selector del criterio común dentro del objeto de la primera colección, luego la sección del criterio común dentro del objeto de la segunda colección y, por último, la producción de un resultado tomando la instancia de la primera colección con la instancia de la segunda colección:

Con el mismo tipo de datos

```
var lista1 = new List<int> { 1, 2, 3, 4, 5 };
var lista2 = new List<int> { 3, 4, 5, 6, 7 };
var join = lista1.Join(lista2, l1 => l1, l2 => l2, (l1, l2) => l1);
// contendrá 3, 4 y 5
```

Con un tipo de datos distinto, sobre la base de un criterio definido

```
var coches2 = new List<Coche>
{
    new Coche{ Marca = "Peugeot", Caballos = 120 },
    new Coche{ Marca = "Renault", Caballos = 110 },
    new Coche{ Marca = "Citroën", Caballos = 90 },
};
var camiones = new List<Camion>
{
    new Camion{ Marca = "Mercedes", Caballos= 250},
    new Camion{ Marca = "John Deer", Caballos= 110},
    new Camion{ Marca = "Renault", Caballos= 120},
};
var joinClases = coches2.Join(camiones, coche =>
coche.Caballos, camion => camion.Caballos, (coche, camion) =>
new { Caballos = coche.Caballos, MarcaCoche = coche.Marca,
MarcaCamion = camion.Marca }); // Contendrá { Caballos = 120,
MarcaCoche = Peugeot, MarcaCamion = Renault } y { Caballos = 110,
MarcaCoche = Renault, MarcaCamion = John Deer }
```

- `GroupJoin`: recuperación de una colección nueva jerarquizada (y no horizontal, como el operador `Join`), es decir, que se recupera un grupo de datos conectados a una clave, que habrá sido seleccionada durante la llamada de la función. Este operador no existe en SQL:

```
// Modelos
public class Estudiante
{
    public string Nombre { get; set; }
    public int CursoId { get; set; }
}
public class Curso
{
    public int Id { get; set; }
    public string Nombre { get; set; }
}

// Consulta LINQ
var curso = new List<Curso>
{
    new Curso { Id = 1, Nombre = "Las bases de C#"},
    new Curso { Id = 2, Nombre = "ASP.NET Core"},
    new Curso { Id = 3, Nombre = "EF Core"},
};
var estudiantes = new List<Estudiante>
{
    new Estudiante { Nombre = "Juan Puente", CursoId = 1 },
    new Estudiante { Nombre = "Jaime Duende", CursoId = 1 },
    new Estudiante { Nombre = "Steve Johnson", CursoId = 2 },
    new Estudiante { Nombre = "Scott Hanselman", CursoId = 2 },
    new Estudiante { Nombre = "Gerard Gers", CursoId = 3 }
};
var estudiantesPorCurso = curso.GroupJoin(estudiantes, curso =>
curso.Id, estudiante => estudiante.CursoId, (curso, grupoEstudiantes)
=> new { Estudiantes = grupoEstudiantes, Curso = curso.Nombre });

foreach (var item in estudiantesPorCurso)
{
    Console.WriteLine("Curso " + item.Curso);
    foreach (var estudiantes in item.Estudiantes)
    {
        System.Console.WriteLine("\t " + estudiante.Nombre);
    }
}
```

- Zip: produce una colección nueva a partir de dos colecciones y de una función de tratamiento de los dos elementos en curso en cada colección. Si una colección es mayor que otra, los elementos adicionales se ignoran:

```
var enteros = new List<int> { 1, 2, 3 };
var enterosEnLetras = new List<string> { "uno", "dos", "tres", "cuatro" };
var resultado = enteros.Zip(enterosEnLetras, (entero, enteroEnLetra) =>
entero + " = " + enteroEnLetra); //contendrá "1 = uno", "2 = dos",
"3 = tres"
```

Observación

El operador `Join` es el único que tiene un equivalente SQL, lo que da lugar a la traducción de la consulta en `INNER JOIN`.

- Los operadores de orden. De una colección de elementos de tipo T, se obtiene una colección de elementos de tipo T que están ordenados de distinta manera.
  - OrderBy/OrderByDescending: produce una colección ordenada nueva a partir de una colección dada y de un selector. OrderBy produce una colección ordenada de manera ascendente, mientras que con OrderByDescending la colección producida se ordena de manera descendente:

```
var estudiantes = new List<Estudiante>
{
    new Estudiante { Nombre = "Juan Puente", CursoId = 1 },
    new Estudiante { Nombre = "Jaime Duende", CursoId = 1 },
    new Estudiante { Nombre = "Steve Johnson", CursoId = 2 },
    new Estudiante { Nombre = "Scott Hanselman", CursoId = 2 },
    new Estudiante { Nombre = "Gerard Gers", CursoId = 3 }
};
var estudiantesPorOrdenAlfabetico = estudiantes.OrderBy(e => e.Nombre);

var enteros = new List<int> { 1, 2, 3 };
var enterosDescendientes = enteros.OrderByDescending(e => e);
```

- ThenBy/ThenByDescending: ejecuta un orden nuevo de una colección ya ordenada, conservando el primer orden activo, pero ordenando según un segundo criterio. ThenBy y ThenByDescending solo pueden llamarse en una colección que ha sido ordenada con un OrderBy o con otro ThenBy:

```
        var nombres = new List<string> { "Tom", "Bob", "Jim",
"Jack", "John", "Tim", "Alice" };
        var nombresOrdenadosPorTamanoLuegoPorOrdenAlfabetico =
nombres.OrderBy(s => s.Length).ThenBy(s => s);
```

- Reverse: invierte el orden de los elementos dentro de una colección:

```
var enteros = new List<int> { 1, 2, 3 };
enteros.Reverse(); // ahora enteros será 3, 2, 1
```

Observación

El encadenamiento OrderBy/ThenBy (con o sin Descending) se gestiona en SQL separando las columnas con comas en la instrucción ORDER BY. Reverse no tiene equivalente.

- Los operadores de agrupación. De una colección de elementos de tipo T, se obtiene una colección nueva de elementos de tipo Group<Key, IEnumerable<T>>.
  - GroupBy: agrupa los elementos de una colección según un criterio definido, produciendo una colección nueva que contiene la asociación de una clave con los valores guardados bajo esta clave:

```
public class Estudiante
{
    public string Nombre { get; set; }
    public int MediaDe20 { get; set; }
}

var estudiantesMedia = new List<Estudiante>
{
    new Estudiante{ Nombre = "Bob", MediaDe20 = 14},
    new Estudiante{ Nombre = "Jim", MediaDe20 = 14},
    new Estudiante{ Nombre = "Jack", MediaDe20 = 12},
    new Estudiante{ Nombre = "John", MediaDe20 = 13},
    new Estudiante{ Nombre = "Tim", MediaDe20 = 13},
};
```

```
var estudianteGruposPorMedia = estudiantesMedia.GroupBy(e =>
e.MediaDe20); //producción de una colección de grupo donde
la media es la clave. Entonces tendremos el grupo con la clave 14,
que contendrá Bob y Jim, por ejemplo
```

Observación

Atención: `GroupBy` es un falso amigo. En efecto, existe un GROUP BY en SQL, pero se refiere a una lógica de teoría de los conjuntos. Por lo tanto, la lógica del `GroupBy` y la del GROUP BY SQL son bastante diferentes. Así, con frecuencia, la traducción directa de uno a otro es imposible.

- Los operadores de agrupación matemáticos. De una colección de elementos de tipo `T` y de otra colección de elementos de tipo `T`, se obtiene una colección nueva de elementos de tipo T que es el resultado de la aplicación de un operador de la teoría matemática de los conjuntos.
  - `Concat`: produce una colección nueva que es la concatenación de otras dos colecciones:

```
var enteros1 = new List<int> { 1, 2, 3, 4, 5 };
var enteros2 = new List<int> { 3, 4, 5, 6, 7 };
var enterosTotales = enteros1.Concat(enteros2); // Se obtendrá
una colección que contiene 1, 2, 3, 4, 5, 3, 4, 5, 6, 7
```

  - `Union`: produce una colección nueva que es el resultado de la unión de otras dos colecciones. La diferencia principal con `Concat` es que la colección nueva no contiene duplicados:

```
var enteros1 = new List<int> { 1, 2, 3, 4, 5 };
var enteros2 = new List<int> { 3, 4, 5, 6, 7 };
var enterosTotales = enteros1.Union(enteros2); // Se obtendrá
una colección que contiene 1, 2, 3, 4, 5, 6, 7
```

  - `Intersect`: produce una colección nueva que es la intersección entre dos colecciones, es decir, solo sus elementos comunes:

```
var enteros1 = new List<int> { 1, 2, 3, 4, 5 };
var enteros2 = new List<int> { 3, 4, 5, 6, 7 };
var enterosTotales = enteros1.Intersect(enteros2); // Se obtendrá
una colección que contiene 3, 4, 5
```

- Except: produce una colección nueva que solo contiene los elementos distintos de las dos colecciones:

```
var enteros1 = new List<int> { 1, 2, 3, 4, 5 };
var enteros2 = new List<int> { 3, 4, 5, 6, 7 };
var enterosTotales = enteros1.Except(enteros2); // Se obtendrá
una colección que contiene 1, 2, 6, 7
```

Observación

Estos cuatro operadores nacen de la teoría matemática de los conjuntos y, por lo tanto, todos tienen un equivalente en SQL. `Concat` y `Union` se traducen mediante la palabra clave `UNION` (con la adición de `ALL` para el `Concat`), mientras que `Intersect` produce un `WHERE ... IN`. Al final, `Except` hace la operación inversa, es decir, `WHERE... NOT IN`.

- Los operadores de conversión. De una colección de tipo T, se obtiene una colección proyectada y evaluada o transformada. Ninguno de estos operadores tiene un equivalente SQL.
  - OfType: toma una colección no genérica para producir una colección genérica que solo contiene elementos del tipo buscado; los otros se ignoran:

```
ArrayList array = new ArrayList();
array.Add(3);
array.Add(4);
array.Add("lolo");
var enterosOfType = array.OfType<int>(); // colección nueva
que contendrá 3 y 4
```

  - Cast: toma una colección no genérica para producir una colección genérica y devuelve una excepción en el primer elemento no convertible al tipo buscado. Esta excepción solo se devuelve si se intenta iterar en la colección con el operador Cast, y no con la llamada de la función:

```
ArrayList array = new ArrayList();
array.Add(3);
array.Add(4);
array.Add("lolo");

var exception = array.Cast<int>(); // devolverá una excepción
```

Observación

El tipo `ArrayList` se define dentro del espacio de nombres `System.Collection`. Se trata de una estructura que permite tener una tabla de objetos con redimensionamiento automático antes de que existiera el tipo `List<T>`. En la actualidad, no se recomienda usar este tipo, que solo está presente aquí para la explicación y la demostración.

- `ToArray`: transforma una colección en una tabla, evaluando la consulta LINQ:

```
var enteros = new List<int> { 1, 2, 3, 4, 5 };
var enterosSuperiorATres = enteros.Where(i => i > 3).ToArray();
//aquí tendremos una tabla de 2 enteros que contendrá 4 y 5
```

- `ToList`: transforma una colección en lista, evaluando la consulta LINQ:

```
var enteros = new List<int> { 1, 2, 3, 4, 5 };
var enterosSuperiorATres = enteros.Where(i => i > 3).ToList();
//aquí tendremos una lista de 2 enteros que contendrá 4 y 5
```

- `ToDictionary`: transforma una colección en `Dictionary`, evaluando la consulta LINQ y pidiendo un selector de clave, así como un selector de valor:

```
public class Estudiante
{
    public string Nombre { get; set; }
    public int MediaDe20 { get; set; }
}

var estudiantesMedia = new List<Estudiante>
{
    new Estudiante{ Nombre = "Bob", MediaDe20 = 14},
    new Estudiante{ Nombre = "Jim", MediaDe20 = 14},
    new Estudiante{ Nombre = "Jack", MediaDe20 = 12},
    new Estudiante{ Nombre = "John", MediaDe20 = 13},
    new Estudiante{ Nombre = "Tim", MediaDe20 = 13},
};

var dicoEstudiantes = estudiantesMedia.ToDictionary(e => e.Nombre,
e => e.MediaDe20); //producción de un diccionario, donde la clave
es un string que contiene el nombre y el valor es el entero
que contiene la media
```

– `ToLookup`: transforma una colección en `Lookup`, evaluando la consulta LINQ y pidiendo un selector de clave, así como un selector de valor:

```
public class Estudiante
{
    public string Nombre { get; set; }
    public int MediaDe20 { get; set; }
}

var estudiantesMedia = new List<Estudiante>
{
    new Estudiante{ Nombre = "Bob", MediaDe20 = 14},
    new Estudiante{ Nombre = "Jim", MediaDe20 = 14},
    new Estudiante{ Nombre = "Jack", MediaDe20 = 12},
    new Estudiante{ Nombre = "John", MediaDe20 = 13},
    new Estudiante{ Nombre = "Tim", MediaDe20 = 13},
};

var dicoEstudiantes = estudiantesMedia.ToLookup(e => e.Nombre,
e => e.MediaDe20); //producción de un lookup, donde la clave
es un string que contiene el nombre, y el valor es el entero
que contiene la media
```

Observación

La clase `Lookup` expone la misma lógica que la clase `Dictionary`, es decir, un vínculo entre una clave y un valor. La distinción procede del hecho de que la clase `Lookup` es inmutable, es decir, que ya no se puede modificar la colección una vez creada.

– `AsEnumerable`: transforma una consulta LINQ en `IEnumerable`:

```
var enteros = new List<int> {1, 2, 3, 4, 5 };
var enterosDecrecientes = enteros.OrderByDescending(e => e)
.AsEnumerable(); // "retransformación" de un IOrderedEnumerable
en IEnumerable gracias al método AsEnumerable
```

– `AsQueryable`: transforma una consulta LINQ en `IQueryable`:

```
var enteros = new List<int> {1, 2, 3, 4, 5 };
var enterosQueryable = enteros.AsQueryable();
```

Observación

El tipo `IQueryable` no se ha visto hasta ahora. Este último es más completo que el tipo `IEnumerable` porque permite guardar los operadores de la consulta LINQ y sus valores bajo la forma de un árbol (dentro de la clase `Expression`). Este dato permite a diversas herramientas trabajar con la expresión (por ejemplo: ORM Entity Framework, que generará SQL a partir de la consulta LINQ). Es un tema avanzado que no trataremos en este libro.

3.2 Operadores de selección

Los operadores de selección permiten extraer un elemento particular de una colección. Esta colección puede haber sido tratada previamente por uno o varios operadores de producción. Se distinguen varios tipos de operadores:

- Los operadores de elementos, que permiten extraer un elemento exacto.
  - `First/FirstOrDefault`: recupera el primer elemento de una colección. La versión `FirstOrDefault` devuelve el valor predeterminado en caso de que no se haya podido recuperar el primer elemento, mientras que `First` devuelve una excepción si no se puede recuperar el primer elemento. Este operador también puede tomar directamente un predicado:

```
var enteros = new List<int> { 1, 2, 3, 4, 5 };
var primero = enteros.First(); // Aquí, se guardará el valor 1
var primeroException = enteros.First(i => i > 5); // devolverá
una excepción
var primeroPredeterminado = enteros.FirstOrDefault(i => i > 5);
// devolverá el valor predeterminado del tipo int, por lo tanto 0
```

  - `Last/LastOrDefault`: recupera el último elemento de una colección. El funcionamiento de la versión `OrDefault` es idéntico al de `FirstOrDefault`:

```
var enteros = new List<int> { 1, 2, 3, 4, 5 };
var primero = enteros.Last(); // Aquí, se guardará el valor 5
var primeroException = enteros.Last(i => i > 5); // devolverá
una excepción
var primeroPredeterminado = enteros.LastOrDefault(i => i > 5);
// devolverá el valor predeterminado del tipo int, por lo tanto 0
```

Observación

`First` y `Last` se evalúan en SQL como si fueran un SELECT TOP 1 con una cláusula ORDER BY. Esta última es ASC en el caso de `First` o DESC en el caso de `Last`.

- `Single/SingleOrDefault`: recupera el único elemento de una colección. En el caso de que haya varios elementos que se puedan recuperar, `Single` y `SingleOrDefault` devolverán ambos una excepción. En el caso de que no se pueda recuperar ningún elemento, el funcionamiento de las dos versiones será similar a `First` y `FirstOrDefault`:

```
var enteros = new List<int> { 1, 2, 3, 4, 5 };
var primero = enteros.Single(); // Devolverá una excepción
var tres = enteros.Where(i => i == 3).Single(); //Aquí tendremos 3
var primeroExcepcion = enteros.Where(i => i > 5).Single();
// devolverá una excepción
var primeroPredeterminado = enteros.Where(i => i > 5).SingleOrDefault();
// devolverá el valor predeterminado del tipo int, por lo tanto 0
```

- `ElementAt/ElementAtOrDefault`: recupera un elemento en una posición específica (mismo funcionamiento que el uso de un índice, con una base en 0). La versión `OrDefault` funciona de manera similar a lo que hemos visto antes:

```
var enteros = new List<int> { 1, 2, 3, 4, 5 };
var primero = enteros.ElementAt(1); // aquí tendremos el valor 2
var primeraExcepcion = enteros.Where(i => i > 5).ElementAt(0);
// devolverá una excepción
var primeroPredeterminado = enteros.Where(i => i > 5). ElementAt(0);
// devolverá el valor predeterminado del tipo int, por lo tanto 0
```

Observación

`Single` y `ElementAt` no tienen equivalente en SQL.

- `DefaultIfEmpty`: devuelve el valor predeterminado si la colección está vacía. Si la colección no está vacía, simplemente se recupera tal cual:

```
var enteros = new List<int> { 1, 2, 3, 4, 5 };
var enterosVacios = new List<int>();
var enterosIfEmpty = enteros.DefaultIfEmpty(); // aquí, tendremos
la colección inicial
var enterosEmpty = enterosVacios.DefaultIfEmpty(); // aquí tendremos
una colección solo con el valor 0 (equivalente de new
List<int> { 0 })
```

Observación

DefaultIfEmpty se puede traducir a SQL gracias al concepto de unión con un OUTER JOIN.

- Los operadores de agrupación, que ejecutan una operación de agrupación de información para producir un valor escalar.
  - Count/LongCount: recuperación del valor de la cantidad de elementos dentro de una colección contándolos explícitamente. LongCount se debe usar en una colección grande (superior a dos mil millones de elementos) porque el valor recuperado es de tipo long, y no int. También se puede pasar una lambda a Count para contar solo los elementos que le responden:

```
var enteros = new List<int> { 1, 2, 3, 4, 5 };
var count = enteros.Count(); // aquí, tendremos el valor 5
var count = enteros.Count(i => i > 2); // aquí, tendremos el valor 3
porque hay 3 elementos que son superiores al valor 2
```

Observación

El uso del operador Count sin lambda permite contar la cantidad de elementos, pero esta manera de proceder es más lenta y costosa que acceder directamente a la propiedad que tiene el tamaño actual. Así, si la colección es una instancia de la clase List<T>, se recomienda usar la propiedad Count en lugar del operador LINQ. De la misma manera, si se trata de una tabla, es preferible acceder a la propiedad Length.

  - Min/Max: recuperación del valor mínimo o máximo dentro de una colección. Para que la comparación sea posible, el tipo debe ser comparable, es decir, implementar la interfaz IComparable<T>. También es posible pasar una lambda para obtener un valor calculado o para seleccionar el dato afectado en caso de uso de un tipo complejo:

```
var enteros = new List<int> { 1, 2, 3, 4, 5 };
var max = enteros.Max(); // aquí, tendremos el valor 5
var min = enteros.Min(); // aquí, tendremos el valor 1
var maxModulo2 = enteros.Max(i => i % 2); // aquí, tendremos el valor 1,
porque el max es 5, y modulo 2, el resultado es 1

public class Estudiante
{
    public string Nombre { get; set; }
    public int MediaDe20 { get; set; }
```

```
}

var estudiantesMedia = new List<Estudiante>
{
    new Estudiante{ Nombre = "Bob", MediaDe20 = 14},
    new Estudiante{ Nombre = "Jim", MediaDe20 = 15},
    new Estudiante{ Nombre = "Jack", MediaDe20 = 12},
    new Estudiante{ Nombre = "John", MediaDe20 = 13},
    new Estudiante{ Nombre = "Tim", MediaDe20 = 13},
};

var mediaMax = estudiantesMedia.Max(e => e.MediaDe20);
// aquí, tendremos 15, que es la media más alta
```

– Sum: recuperación de la suma de todos los elementos si estos soportan la suma o de un dato de un tipo complejo. El operador es bastante restrictivo y solo soporta tipos numéricos:

```
var enteros = new List<int> { 1, 2, 3, 4, 5 };
var sum = enteros.Sum(); // aquí, tendremos 15

public class Estudiante
{
    public string Nombre { get; set; }
    public int MediaDe20 { get; set; }
}

var estudiantesMedia = new List<Estudiante>
{
    new Estudiante{ Nombre = "Bob", MediaDe20 = 14},
    new Estudiante{ Nombre = "Jim", MediaDe20 = 15},
    new Estudiante{ Nombre = "Jack", MediaDe20 = 12},
    new Estudiante{ Nombre = "John", MediaDe20 = 13},
    new Estudiante{ Nombre = "Tim", MediaDe20 = 13},
};

var mediaMax = estudiantesMedia.Sum(e => e.MediaDe20);
// aquí, tendremos 67, la suma de todas las medias
```

- `Average`: recuperación de la media de todos los elementos o de un dato de un tipo complejo. Por definición, una media es un número real; según el dato seleccionado, el operador devuelve un resultado de tipo `decimal`, `float` o `double` (este último es el más habitual):

```
var enteros = new List<int> { 1, 2, 3, 4, 5 };
var avg = enteros.Average(); // aquí, tendremos 3

public class Estudiante
{
    public string Nom { get; set; }
    public int MediaDe20 { get; set; }
}

var estudiantesMedia = new List<Estudiante>
{
    new Estudiante{ Nombre = "Bob", MediaDe20 = 14},
    new Estudiante{ Nombre = "Jim", MediaDe20 = 15},
    new Estudiante{ Nombre = "Jack", MediaDe20 = 12},
    new Estudiante{ Nombre = "John", MediaDe20 = 13},
    new Estudiante{ Nombre = "Tim", MediaDe20 = 13},
};

var mediaDeLasMedias = estudiantesMedia.Average(e =>
e.MediaDe20); // aquí, tendremos 13.2
```

Observación

Todos los operadores presentados con anterioridad tienen un equivalente en SQL.

- Los operadores de cuantificación, que evalúan un método para obtener un valor booleano basado en el resultado de esta evaluación.
  - `Contains`: define si un elemento particular está contenido dentro de una colección de destino:

```
var enteros = new List<int> { 1, 2, 3, 4, 5 };
var estaAlli = enteros.Contains(3); // true
var noEstaAlli = enteros.Contains(6); // false
```

- Any: define si al menos un elemento que responde a la condición expresada bajo la forma de lambda está contenido dentro de una colección de destino:

```
var enteros = new List<int> { 1, 2, 3, 4, 5 };
var estaAlli = enteros.Any(i => i > 3); // true
var noEstaAlli = enteros.Any(i => i >= 6); // false
```

Observación

Any y Contains, ambas se traducen a SQL con WHERE ... IN (...).

- All: define si todos los elementos de la colección responden a la condición expresada bajo la forma de lambda:

```
var enteros = new List<int> { 1, 2, 3, 4, 5 };
var todos = enteros.All(i => i >= 1); // true
var noTodos = enteros.All(i => i >= 2); // false
```

- SequenceEqual: define si todos los elementos de una colección son idénticos a los de otra colección. El orden de los elementos es primordial dentro de la comparación:

```
var enteros = new List<int> { 1, 2, 3, 4, 5 };
var enterosEq = new List<int> { 1, 2, 3, 4, 5 };
var enterosNotEq = new List<int> { 1, 3, 4, 2, 5 };

var equal = enteros1.SequenceEqual(enterosEq); // true
var notEqual = enteros1.SequenceEqual(enterosNotEq); // false
```

3.3 Operadores de generación

Usados con menos frecuencia, estos operadores permiten generar un valor o un conjunto de valores a partir de una sencilla llamada de método:

- Empty: producción de una colección nueva vacía:

```
var empty = Enumerable.Empty<string>(); // colección vacía string
```

- Range: producción de una colección nueva que contiene una cantidad de valores definida a partir de un valor inicial:

```
var enteros = Enumerable.Range(1, 5); // Contiene 1, 2, 3, 4 y 5
```

- `Repeat`: producción de una colección nueva que repite un valor fijo una cantidad de veces definida:

```
var soloUnos = Enumerable.Repeat(1, 5); // contiene 1, 1, 1, 1, 1
```

4. Expresión de consulta LINQ

Hasta ahora, hemos hablado de LINQ desde el punto de vista de los métodos de extensión en la interfaz `IEnumerable<T>`. Sin embargo, LINQ ofrece otra sintaxis, llamada expresión de consulta (o *query expression* en inglés). Esta última se acerca a un formalismo que se parece más a lo que se puede encontrar en SQL, incluso si el orden lógico está invertido.

En efecto, cuando se usa este enfoque, hay que empezar por describir el nombre de la variable con la que se quiere trabajar dentro de una colección dada, usando el formalismo `from ... in ...`

Después de esta extracción, se pueden añadir uno o varios operadores:

- `where`.
- `orderby/orderby ... descending`. De forma predeterminada, el operador `order` by funciona de manera ascendente sin que sea necesario especificarlo. Sin embargo, para que sea explícito se puede añadir la palabra clave `ascending`.
- `thenby/thenby ... descending`. De forma predeterminada, `then` by funciona de manera ascendente sin que sea necesario especificarlo. Sin embargo, para que sea explícito se puede añadir la palabra clave `ascending`.
- `group ... by ...`.
- `join`.

La consulta termina con un `select`.

Por ejemplo:

```
var enteros = new List<int> { 1, 2, 3, 4, 5 };
var clasificacion = from i in enteros where i > 2 orderby
i descending select
i.ToString(); // tendremos una colección de cadenas, que contiene
los enteros superiores a 2, clasificados en orden decreciente
```

Como se puede comprobar, esta manera de escribir una consulta LINQ se acerca al SQL, a excepción de la inversión de la lógica de selección (el operador `select` está el último en LINQ, pero llega el primero en SQL).

4.1 La palabra clave into

Esta palabra clave (que solo existe en las expresiones de consultas LINQ) permite hacer una agrupación nueva de datos dentro de una variable intermedia nueva.

Esto permite crear una colección nueva a partir de los datos de la variable inicial, que de hecho se convierte en inaccesible. Escribiendo la consulta anterior con la palabra clave `into`, se obtiene:

```
var enteros = new List<int> { 1, 2, 3, 4, 5 };
var clasificacion = from i in enteros where i > 2 select i into
enteroSupADos
orderby enteroSupADos descending select enteroSupADos.ToString();
```

La nueva variable intermedia, `enteroSupADos`, ya ha sido prefiltrada con lo que se ha hecho antes, gracias a la palabra clave `into`. Esto también significa que la variable inicial, `i`, se convierte en inaccesible:

```
var clasificacion = from i in enteros where i > 2 select i into
enteroSupADos
orderby enteroSupADos descending select i.ToString(); // ilegal
usar i aquí, el into la ha hecho "desaparecer"
```

El operador `join` también usa la palabra clave `into`, que de hecho se convierte en un `GroupJoin`:

```
var curso = new List<Curso>
{
    new Curso { Id = 1, Nombre = "Las bases de C#"},
    new Curso { Id = 2, Nombre = "ASP.NET Core"},
    new Curso { Id = 3, Nombre = "EF Core"},
};
var estudiantes = new List<Estudiante>
{
    new Estudiante { Nombre = "Juan Puente", CursoId = 1 },
    new Estudiante { Nombre = "Jaime Duende", CursoId = 1 },
    new Estudiante { Nombre = "Steve Johnson", CursoId = 2 },
```

```
    new Estudiante { Nombre = "Scott Hanselman", CursoId = 2 },
    new Estudiante { Nombre = "Gerard Gers", CursoId = 3 }
};
var estudiantesPorCurso2 = from c in curso
                  join e in estudiantes on c.Id equals e.CursoId
                  into estudiantesCurso
                  select new { Curso = c, Estudiantes =
estudiantesCurso };
foreach (var item in estudiantesPorCurso2)
{
    Console.WriteLine("Curso " + item.Curso);
    foreach (var estudiante in item.Estudiantes)
    {
        System.Console.WriteLine("\t " + estudiante.Nombre);
    }
}
```

También es útil para el operador `group ... by` para obtener una colección nueva:

```
 var estudiantesMedia = new List<Estudiante>
           {
               new EsLudiante{ Nombre = "Bob", MediaDe20 = 14},
               now Estudiante{ Nomhre = "Jim", MediaDe20 = 14},
               new Estudiante{ Nombre = "Jack", MediaDe20 = 12},
               now Estudiante{ Nomhre = "John", MediaDe20 = 13},
               new Estudiante{ Nombre = "Tim", MediaDe20 = 13},
           };
var estudianteGruposPorMedia = from e in etudiantesMedia group
e.Nombre by e.MediaDe20 into nombresPorMedia order by
nombresPorMedia.Key select nombresPorMedia;
```

La variable `nombresPorMedia` representa el mismo tipo de objeto que el que se puede obtener usando el método de extensión LINQ `GroupBy`, a saber: un `IGrouping<int, IEnumerable<string>>`, que pone en correlación la media (la clave, un `int`) y la lista de los nombres de los estudiantes que tienen esta media.

4.2 La palabra clave let

La sintaxis de expresión de consulta permite usar la palabra clave `let`, que da la posibilidad de asignar una variable nueva durante la creación de la consulta. La primera variable que se ha creado es la declarada durante el `from`, pero la palabra clave `let` permite definir una variable adicional para las necesidades de la consulta. Una vez creada la variable, se puede usar dentro del conjunto de la consulta para perfeccionar el resultado:

```
var listaEnteros = new List<int> { 1, 2, 3, 4, 5, 6, 7, 8, 9 };
var enterosPares = from e in listaEnteros
                   let pares = e % 2
                   where pares == 0
                   select e;
```

La ventaja de este enfoque es que se puede definir una expresión o una prueba bajo la forma de variable reutilizable durante toda la consulta sin tener que duplicarla. La cantidad de declaraciones `let` no está limitada y se puede usar a cualquier nivel de la consulta después de su declaración.

5. Ejercicio

Es el momento de poner en práctica lo que hemos visto en este capítulo sobre LINQ.

5.1 Enunciado

Este ejercicio consiste en generar (usando operadores LINQ) una lista de enteros, de 1 a 100, y devolver solo la lista de los números divisibles entre 7. Para que el ejercicio no sea demasiado sencillo, se pide escribir las consultas LINQ bajo las dos formas que se han estudiado: mediante métodos de extensión y con la expresión de consulta.

Los números resultado son 7, 14, 21, 28, 35, 42, 49, 56, 63, 70, 77, 84, 91 y 98.

Una vez obtenido este resultado, se divide en dos grupos: los números pares y los números impares. Cada uno de los grupos obtenidos se identifica por su nombre (par o impar) y contiene los números correspondientes.

Aquí se puede ver un ejemplo de visualización de lo que se espera:

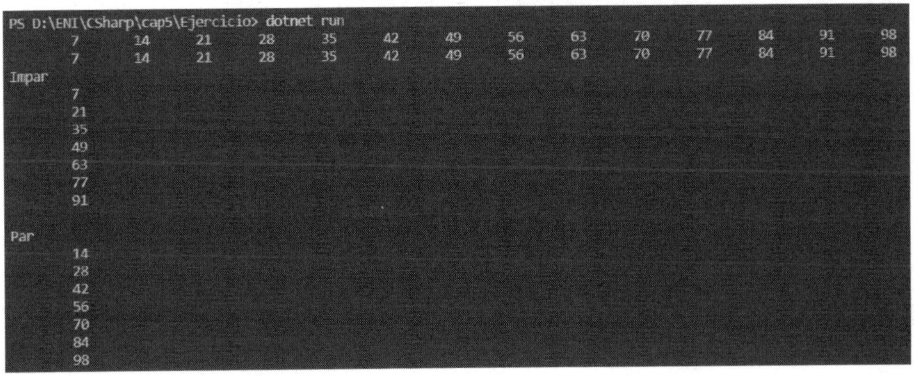

```
PS D:\ENI\CSharp\cap5\Ejercicio> dotnet run
        7       14      21      28      35      42      49      56      63      70      77      84      91      98
        7       14      21      28      35      42      49      56      63      70      77      84      91      98
Impar
        7
        21
        35
        49
        63
        77
        91

Par
        14
        28
        42
        56
        70
        84
        98
```

Resultados de ejecución esperados para el ejercicio

Observación

La doble presencia de los números en la parte superior se explica por el hecho de que las dos consultas LINQ han sido iteradas (la que contiene los métodos de extensión y la que contiene la expresión de consulta LINQ). Para obtener un desfase uniforme entre los números, se puede usar la tabulación, insertando el carácter `\t` *dentro de la cadena.*

5.2 Solución

El código para llegar a este resultado es el siguiente:

```
using System;
using System.Linq;

var enteros = Enumerable.Range(1, 100);
var divisibleEntreSiete = enteros.Where(e => e % 7 == 0);
var divisibleEntreSieteInline = from e in enteros where e % 7 == 0
select e;

foreach (var item in divisibleEntreSiete)
{
    Console.Write("\t" + item);
}
Console.WriteLine();
```

```
foreach (var item in divisibleEntreSieteInline)
{
    Console.Write("\t" + item);
}
Console.WriteLine();

var grupos = divisibleEntreSiete.GroupBy(e => e % 2).Select(g => new
{ Nombre = g.Key == 0 ? "Par" : "Impar", Numeros = g.ToList() });

foreach (var item in grupos)
{
    Console.WriteLine(item.Nombre);
    foreach (var value in item.Numeros)
    {
        Console.WriteLine("\t" + value);
    }
    Console.WriteLine();
}
```

Capítulo 6
Serialización

1. Serialización en C#

Hoy en día, el lenguaje C# es uno de los más usados para desarrollar aplicaciones web. Uno de los problemas más frecuentes durante la comunicación en programación web es conseguir transferir objetos hacia y desde una aplicación. Para eso, el objeto se debe transformar en un formato universal. Esta transformación se llama serialización. Este proceso permite recuperar el objeto representado bajo un formato intercambiable; con frecuencia este formato tiene una forma textual.

Para que los datos puedan transitar, hay que usar un flujo de datos (llamado *stream* en inglés, de ahí el nombre de la clase base en C#: `Stream`). Estos flujos pueden tomar varias formas, como por ejemplo un flujo de datos en memoria (representado por la clase `MemoryStream` en C#) o incluso un flujo de datos hacia un archivo en el disco (representado por la clase `FileStream` en C#).

Hay varias maneras de serializar un objeto; estas son algunas de ellas:

- La serialización binaria, que permite representar un objeto en un formato binario.
- La serialización XML, que transforma el objeto en cadena de caracteres al formato XML.
- La serialización JSON, que transforma el objeto en cadena de caracteres al formato JSON.

En este capítulo vamos a abordar tres modos de serialización para transformar un objeto a un formato dado, pero también para poder recuperar un objeto desde una fuente de datos en el formato retenido.

2. Serialización binaria

El enfoque binario es el modo de serialización más simple para implantar. También es el que permite almacenar mayor cantidad de información en el tipo del objeto y tiene más fiabilidad de conversión de los valores y tipos almacenados. Sin embargo, su formato es propietario: no es portable ni compatible con otros lenguajes y soluciones, de manera que solo lo usaremos si el emisor y el destinatario son programas en C#.

Observación

Con la llegada de .NET 6 y C# 10, no se recomienda en absoluto usar este modo de serialización. Las explicaciones y el funcionamiento descritos en esta sección solo se proponen con fines de seguimiento, para los lectores que necesiten hacer el mantenimiento de un sistema usando este sistema de serialización. No se recomienda usar los objetos vistos en esta sección para aplicaciones nuevas porque están marcados como obsoletos en .NET 6 y se eliminarán en .NET 7.

Dos planteamientos permiten activar la serialización binaria:

- Usando los atributos apropiados en un tipo dado.
- Implementando la interfaz `ISerializable`.

Los atributos son más fáciles y rápidos de implantar, pero menos flexibles que la implementación de la interfaz `ISerializable`. Es recomendable elegir la mejor solución en función del objetivo.

2.1 Uso de los atributos

Este planteamiento es el más sencillo y rápido de implantar. Considerando la siguiente clase, solo hay que añadir el atributo `[Serializable]` encima de la declaración de la clase:

```
[Serializable]
public class Persona
{
    public string Nombre { get; set; }
    public string Apellido { get; set; }
}
```

De este modo, cuando se pida serializar una variable de tipo `Persona`, se informará al serializador, mediante la presencia del atributo, de que debe considerar la serialización de cada dato contenido en el interior del tipo, en forma de campos. Cada uno de los datos debe ser serializable; en caso contrario, se devolverá una excepción durante el proceso.

Una vez marcado el objeto, se puede usar el serializador binario, `BinaryFormatter`, que se encuentra en el espacio de nombres `System.Runtime.Serialization.Formatters.Binary`, para serializar el objeto en un stream de datos. El stream se puede guardar en memoria o en el sistema de archivos (este último caso es bastante habitual para guardar objetos en el disco entre dos ejecuciones de un programa). Se usa el método `Serialize` de este objeto para precisar el stream de destino, así como el objeto que se ha de serializar:

```
var formatter = new BinaryFormatter();
using(var stream = new FileStream("person.bin", FileMode. Create))
{
    formatter.Serialize(stream, new Persona { Nombre = "Christophe",
Apellido ="Mommer" });
}
```

Observación

La instrucción `using` delante de una variable se estudiará en el capítulo Conceptos avanzados, en la sección Gestión de la memoria.

Se comprueba que Visual Studio Code lanza un aviso de escritura de este código en .NET 6 porque el tipo ha sido devaluado y se eliminará en .NET 7, según la hoja de ruta de Microsoft:

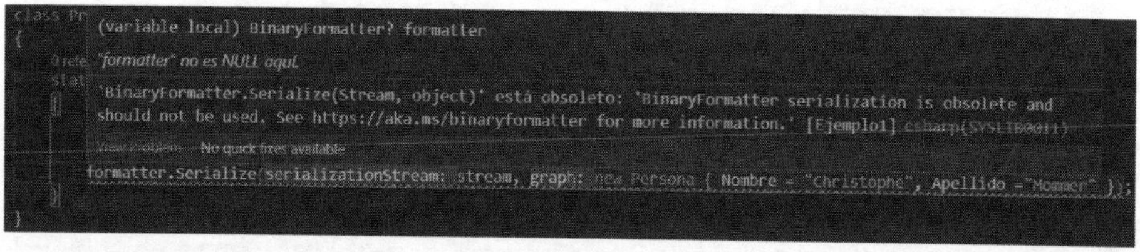

```
(variable local) BinaryFormatter? formatter
"formatter" no es NULL aquí.
'BinaryFormatter.Serialize(Stream, object)' está obsoleto: 'BinaryFormatter serialization is obsolete and should not be used. See https://aka.ms/binaryformatter for more information.' [Ejemplo1]
No quick fixes available
formatter.Serialize(serializationStream: stream, graph: new Persona { Nombre = "Christophe", Apellido ="Mommer" });
```

Aviso en el editor con el uso del tipo BinaryFormatter

La clase `BinaryFormatter` también permite leer contenido desde un stream dado, gracias al método `Deserialize`. Se puede observar que este método devuelve una instancia de tipo `object`; por eso es necesario hacer un cast:

```
using(var reader = new FileStream("person.bin", FileMode.Open))
{
    var person = (Persona)formatter.Deserialize(reader);
    Console.WriteLine("Hola " + person.Nombre + " " + person.Apellido);
}
```

Dentro de la clase, se puede especificar que no se quiere serializar un dato concreto añadiendo el atributo `[NonSerialized]` encima del dato afectado.

Observación

Este atributo solo funciona en los campos y no en las propiedades, lo que demuestra una cierta debilidad del planteamiento de la serialización binaria.

```
[Serializable]
public class Persona
{
    public string Nombre { get; set; }
    public string Apellido { get; set; }
    [NonSerialized]
    public int Edad;
}

var formatter = new BinaryFormatter();
using (var stream = new FileStream("person.bin", FileMode.Create))
{
```

```
    formatter.Serialize(stream, new Persona { Nombre = " Christophe",
Apellido = "Mommer", Edad = 33 });
}

using (var reader = new FileStream("person.bin", FileMode.Open))
{
    var person = (Persona)formatter.Deserialize(reader);
    Console.WriteLine("Hola " + person.Nombre + " " + person.Apellido
+ ". Tiene " + person.Edad + " años"); // Mostrará Hola Christophe
Mommer. Tiene 0 años
}
```

El valor de un campo marcado como `NonSerialized` siempre será igual a `null` (en caso de tipo de referencia) o al valor predeterminado (en caso de tipo de valor), incluso si el constructor de la clase especifica un valor. El serializador binario es el único que no invoca al constructor de una clase en la deserialización.

Sin embargo, se puede definir un método al que se llamará durante la etapa de deserialización binaria. Este método no debe devolver nada y toma un único parámetro de tipo `StreamingContext`. Se añade el atributo `[OnDeserializing]` encima del método afectado:

```
[Serializable]
public class Persona
{
    public string Nombre { get; set; }
    public string Apellido { get; set; }
    [NonSerialized]
    public int Edad;

    [OnDeserializing]
    public void OnDeserializing(StreamingContext context)
    {
        Edad = 33; // aquí, se fija el valor 33 de manera permanente
en la deserialización
    }
}
```

También existen los siguientes atributos para crear métodos que se invocarán durante la (de)serialización:

- [OnSerializing]: se define en el método que se invoca durante la serialización.
- [OnSerialized]: se define en el método que se invoca cuando la serialización ha terminado.
- [OnDeserialized]: se define en el método que se invoca cuando la deserialización ha terminado.

Para finalizar la gestión por atributo, hay que recordar que el serializador binario puede ser sensible en caso de cambio del tipo serializado. En efecto, si el tipo de datos cambia entre la descripción de la clase y los datos serializados, se produce un error en la ejecución.

De la misma manera, si se ha añadido un dato, hay que mencionárselo al serializador porque, para él, deben estar presentes todos los datos no marcados como [NonSerialized]. Podemos usar el atributo [OptionalField] para especificar que el dato es en efecto opcional (dado que no estaba en una versión anterior). Este atributo también permite almacenar la versión donde se ha añadido el dato:

```
[Serializable]
public class Persona
{
    public string Nombre { get; set; }
    public string Apellido { get; set; }
    [NonSerialized]
    public int Edad;
    [OptionalField(VersionAdded = 2)]
    public DateTime FechaDeNacimiento;
}
```

2.2 Uso de la interfaz ISerializable

El otro planteamiento para serializar un objeto de manera binaria es hacer implementar la interfaz `ISerializable` mediante el objeto. Esta interfaz solo contiene un método:

```
void GetObjectData(SerializationInfo info, StreamingContext context);
```

Por lo tanto, hay que implementar este método para describir lo que se quiere serializar y cómo. El enfoque, aunque es más flexible, también es más complejo que el uso de los atributos.

Observación

A pesar de la implementación de la interfaz, sigue siendo necesario conservar el atributo `[Serializable]` encima de la clase.

El objeto `SerializationInfo` es un tipo de diccionario que permite asignar los datos de la clase que se va a serializar mediante clave/valor. Por ejemplo, si se retoma nuestra clase Persona con este enfoque, el código sería el siguiente:

```
[Serializable]
public class Persona2 : ISerializable
{
    public string Nombre { get; set; }
    public string Apellido { get; set; }
    public int Edad { get; set; }
    public DateTime FechaDeNacimiento { get; set; }

      public void GetObjectData(SerializationInfo info,
StreamingContext context)
    {
        info.AddValue("Nombre", Nombre);
        info.AddValue("Apellido", Apellido);
    }
}
```

Se constata que se han eliminado todos los atributos de gestión interna de la serialización, ya que la función del método `GetObjectData` es definir qué miembros se deben serializar.

Implementar el método GetObjectData permite especificar cómo serializar el objeto, pero no cómo deserializarlo. Para que la deserialización funcione, hay que crear un constructor particular, que toma los mismos parámetros que el método GetObjectData. Se recomienda darle un alcance reducido a este constructor para que no sea visible públicamente y no cree un trastorno inútil para los consumidores de la clase. Igualmente, no se olvidará añadir un constructor público (con o sin parámetros, según las limitaciones del modelo) para que, a pesar de todo, el tipo siga siendo públicamente accesible:

```
[Serializable]
public class Persona2 : ISerializable
{
    public string Nombre { get; set; }
    public string Apellido { get; set; }
    public int Edad { get; set; }
    public DateTime FechaDeNacimiento { get; set; }

    public void GetObjectData(SerializationInfo info,
StreamingContext context)
    {
        info.AddValue("Nombre", Nombre);
        info.AddValue("Apellido", Apellido);
    }
    protected Persona2(SerializationInfo info,
StreamingContext context)
    {
        Nombre = info.GetString("Nombre");
        Appellido = info.GetString("Apellido");
        Edad = 33;
    }
    public Persona2()
    {

    }
}
```

3. Serialización XML

A diferencia del enfoque binario, la serialización en XML se basa en un formato reconocido como un estándar en el sector. Usado durante mucho tiempo, el XML es un lenguaje de señalización bastante prolífico, pero de hecho también bastante potente y ampliable. En la actualidad todavía se usa, especialmente en el enfoque de archivos de configuración o incluso de mensajes de intercambios para los servicios que usan el protocolo SOAP.

.NET ofrece dos maneras de gestionar la serialización, que vamos a tratar en esta sección. Vamos a empezar por el enfoque de bajo nivel, más eficiente, pero también con más limitaciones.

3.1 XmlSerializer

La clase `XmlSerializer`, que se encuentra en el espacio de nombres `System.Xml.Serialization`, permite realizar la deserialización de objetos en XML. El funcionamiento se parece al del `BinaryFormatter`, es decir, que hay que proporcionar un objeto y un stream. La única diferencia notable entre los dos es que es necesario especificar el tipo que se ha de gestionar durante la creación de la instancia de la clase `XmlSerializer`, usando la palabra clave `typeof`:

```
var p = new PersonaXml { Nombre = " Christophe", Apellido = "Mommer" };

var serializer = new XmlSerializer(typeof(PersonaXml));

using (var stream = new FileStream("person.xml", FileMode.Create))
{
    serializer.Serialize(stream, p);
}
using (var stream = new FileStream("person.xml", FileMode.Open))
{
    var p2 = (PersonaXml)serializer.Deserialize(stream);
    System.Console.WriteLine("Hola " + p2.Nombre + " " + p2.Apellido);
}
```

La serialización con este enfoque se basa en el uso de atributos que permiten decir lo que se quiere serializar o no, y cómo debe hacerse la serialización.

Como recordatorio, el formato XML se basa en elementos que pueden tener un contenido, pero también atributos. Se puede personalizar la salida con los atributos `[XmlElement]` y `[XmlAttribute]`. Estos últimos pueden tomar como parámetro el nombre que se quiere usar para el elemento o el atributo:

```
[Serializable]
public class PersonaXml
{
    [XmlElement("Name")]
    public string Nombre { get; set; }
    public string Apellido { get; set; }
    [XmlAttribute]
    public int Edad { get; set; }
}
```

La clase modificada aquí arriba da el siguiente XML en la serialización:

```
<?xml version="1.0"?>
<PersonaXml xmlns:xsi="http://www.w3.org/2001/XMLSchema-instance"
xmlns:xsd="http://www.w3.org/2001/XMLSchema" Edad="33">
  <Name>Christophe</Name>
  <Apellido>Mommer</Apellido>
</PersonaXml>
```

Se puede observar que la edad se ha colocado como atributo en el elemento principal, y el nombre se ha puesto dentro de un elemento llamado "`Name`".

El orden de salida de los elementos también es controlable especificando el valor `Order` en el atributo `XmlElement`:

```
[Serializable]
public class PersonaXml
{
    [XmlElement("Name")]
    public string Nombre { get; set; }
    [XmlElement(Order = 1)]
    public string Apellido { get; set; }
    [XmlAttribute]
    public int Edad { get; set; }
}
```

Observación

Si no se usa el atributo, todas las propiedades se almacenan por defecto en elementos XML y el orden usado es el de la declaración. Los subobjetos también se serializan como subelementos XML.

Aunque el enfoque de serialización mediante atributos con el `XmlSerializer` es bastante fácil y flexible, tiene limitaciones que se pueden eludir gracias a la implementación de la interfaz `IXmlSerializable`.

Esta interfaz necesita la implementación de tres métodos:

- `ReadXml`, que toma como parámetro un `XmlReader`, que permite definir de qué manera debe hacerse la lectura.
- `WriteXml`, que toma como parámetro un `XmlWriter`, que permite definir de qué manera debe hacerse la escritura.
- `GetSchema`, que necesita devolver una instancia de la clase `XmlSchema`.

Para que la implementación sea funcional, sobre todo es necesario escribir el código de los métodos `ReadXml` y `WriteXml`. El método `GetSchema` puede devolver `null` en el caso de una implementación completamente manual.

El método de lectura debe tener en cuenta el concepto de elemento, enmarcando las funciones de lectura con los métodos `ReadStartElement` y `ReadEndElement`:

```
public class PersonaXmlSerializable : IXmlSerializable
{
    public string Nombre { get; set; }
    public string Apellido { get; set; }
    public int Edad { get; set; }

    public XmlSchema GetSchema() { return null; }

    public void ReadXml(XmlReader reader)
    {
        Edad = int.Parse(reader.GetAttribute("Edad"));
        reader.ReadStartElement();
        Nombre = reader.ReadElementContentAsString("Name", "");
        Apellido = reader.ReadElementContentAsString("Apellido", "");
        reader.ReadEndElement();
    }
    public void WriteXml(XmlWriter writer)
    {
```

```
            writer.WriteAttributeString("Edad", Edad.ToString());
            writer.WriteElementString("Name", Nombre);
            writer.WriteElementString("Apellido", Apellido);
        }
    }
```

Se puede observar que el orden de llamada de las funciones es importante. En el caso de la lectura, hay que tener en cuenta que el archivo XML se lee como un flujo, desde el inicio hasta el final. Para eso, las llamadas de los métodos mueven el cursor de lectura dentro del flujo en la etapa siguiente. Por eso es necesario hacer la relectura del atributo `Edad` antes de leer el elemento de partida, porque esta acción de lectura coloca el cursor en el interior del elemento; el atributo se vuelve, de hecho, inaccesible.

A la escritura se le aplica la misma lógica. Hay que considerar esto como la escritura de un flujo en un elemento y, por lo tanto, se empieza por escribir los atributos antes de escribir el contenido. Las clases `XmlWriter` y `XmlReader` también se pueden usar fuera de una clase implementando `IXmlSerializable` para tratar archivos XML como lectura y como escritura.

El planteamiento de la lectura/escritura con ayuda de un flujo es la manera más eficiente de realizar estas operaciones. Sin embargo, el framework .NET ofrece otra clase para tratar los archivos XML, mucho más cómoda, que necesita la carga del contenido del archivo en memoria.

3.2 XDocument, XElement y XAttribute

El uso de la clase `XDocument` permite cargar el contenido XML en memoria bajo una forma jerárquica. Esta clase se encuentra dentro del espacio de nombres `System.Xml.Linq`.

`XDocument` es la clase básica que permite cargar todos los elementos en memoria y empezar a trabajar con ellos. Se pueden usar dos métodos para cargar XML con la clase `XDocument`:

- El método `Parse`, que permite tener una instancia de `XDocument` a partir de una cadena de caracteres XML.
- El método `Load`, que permite tener una instancia de `XDocument` a partir de un flujo cualquiera (archivo, stream, etc.).

Por ejemplo, se puede crear una instancia `XDocument` con el siguiente código:

```
var xml = @"<?xml version='1.0'?>
    <PersonaXmlSerializable Edad='33'>
        <Name>Christophe</Name>
        <Apellido>Mommer</Apellido>
    </PersonaXmlSerializable>";
var doc = XDocument.Parse(xml);
```

Observación

El símbolo @ delante de una cadena de caracteres en C# permite crear una cadena multilínea sin tener necesidad de usar las concatenaciones.

Como consecuencia del código anterior, la variable `doc` contiene una instancia de la clase `XDocument` con todos los datos del XML. Cada parte del XML se carga en una clase dedicada:

- `XDocument`, que contiene la jerarquía completa y todos los datos.
- `XElement`, que contiene la información de un elemento XML (aquí, tenemos un `XElement PersonaXmlSerializable`, que contiene dos `XElement`: `Name` y `Apellido`).
- `XAttribute`, que contiene la información de un atributo de un elemento XML (aquí, el `XAttribute edad` está vinculado a `XElement PersonaXmlSerializable`).

Cuando se quiere navegar dentro de una instancia de `XDocument`, se dispone de varios métodos y propiedades. No hay que olvidar que el documento está completamente cargado en memoria y que no hay concepto de cursor; entonces claro que se puede navegar y buscar lo que se quiere.

En este caso, se puede acceder al nodo principal, que es el elemento raíz, gracias a la propiedad `Root` en una instancia de `XDocument`:

```
var root = doc.Root;
```

La variable `root` del bloque de código anterior, de tipo `XElement`, contiene la representación del núcleo raíz del XML anterior, es decir, el núcleo `PersonaXmlSerializable`.

La clase XElement expone varias propiedades y métodos que permiten obtener información y navegar:

- La propiedad Name retoma el nombre del elemento XML representado, aquí PersonaXmlSerializable.
- La propiedad Value permite acceder al valor contenido en el elemento. Si este último contiene directamente un valor, se tiene acceso a su contenido. En cambio, si contiene otros elementos, el valor de cada subelemento está concatenado. Así, en el elemento root, el valor almacenado en la propiedad es ChristopheMommer, porque se trata de la concatenación (sin espacios) de los valores de cada uno de los hijos.
- Las propiedades booleanas HasAttributes, HasElements e IsEmpty permiten saber, respectivamente, si el elemento contiene atributos, otros elementos o si se trata de un elemento autocerrado vacío.
- Para acceder a un subelemento específico, se usa el método Element() con el nombre del elemento que se quiere obtener, que devuelve el XElement interesado, o null si no se ha encontrado este último. Por ejemplo:

```
var elementNombre = root.Element("Name");
var elementNoEncontrado = root.Element("Edad");
// aquí, tendremos null
```

- Para acceder a un atributo de un elemento, se usa el método Attribute() con el nombre del atributo que se quiere obtener, que devuelve la instancia XAttribute interesada, o null si no se ha encontrado ningún atributo con este nombre. Por ejemplo:

```
var atrEdad = root.Attribute("Edad");
var atrNoEncontrado = root.Attribute("FechaDeNacimiento");
// aquí tendremos null
```

- Los dos métodos antes citados también tienen una versión en plural, que permite recuperar todos los XElement o XAttribute de un XElement para poder iterar en ellos.

  Se obtiene respectivamente un IEnumerable<XElement> y un IEnumerable<XAttribute> con el siguiente código:

```
var rootElements = root.Elements();
var rootAttributes = root.Attributes();
```

Todos los métodos que hemos visto aquí arriba son métodos de lectura. Las clases `XDocument` y `XElement` también soportan la escritura sin necesidad de usar otra API.

Para crear un `XElement` nuevo, se usa el constructor que permite especificar en primer lugar el nombre del elemento, seguido de los datos para añadir (elementos al igual que atributos). Por ejemplo, si se quiere crear un núcleo XML que contiene la dirección bajo la forma de cadena y que propone dos atributos, el código postal y el país, se usa el siguiente código:

```
var elementoDireccion =
    new XElement("Address",
        new XAttribute("CodigoPostal", "45600"),
        new XAttribute("País", "España"),
        "Plaza del Reloj, Talavera de la Reina");
```

La clase `XElement` dispone del método `Add`, que permite añadir un dato XML a un elemento. Si se quiere añadir al núcleo raíz el núcleo de dirección previamente creado, solo hay que llamar al método pasando el objeto para añadir:

```
root.Add(elementoDireccion);
```

Después de esta llamada, se ha modificado el archivo XML. Se puede obtener el flujo XML bajo forma de cadena de caracteres llamando al método `ToString()` en la instancia `XDocument`, que devuelve una cadena de caracteres formateada y sangrada (formateado que es posible desactivar pasando un parámetro al método):

```
var xmlFormato = doc.ToString();
var xmlBruto = doc.ToString(SaveOptions.DisableFormatting);
```

La navegación con los métodos `Element` y `Elements` solo afecta a los hijos directos del núcleo en tratamiento. Si se quiere acceder a un nieto (o más), hay que encadenar las llamadas con ayuda de los métodos expuestos por el método `Element`, lo que también presupone conocer bien la estructura del archivo.

XElement propone un enfoque que permite navegar en la totalidad de los núcleos descendientes, sin importar su nivel jerárquico, con el método Descendants, que devuelve un IEnumerable<XElement>. También se puede especificar un nombre de elemento para efectuar un primer filtro con el nombre de los elementos para recuperar:

```
var xml = @"<?xml version='1.0'?>
    <Persona Edad='33'>
      <Name>Christophe</Name>
      <Apellido>Mommer</Apellido>
      <Direccion>
        <Calle>Plaza del Reloj</Calle>
        <Ciudad>Talavera de la Reina</Ciudad>
      </Direccion>
    </Persona>";
var doc = XDocument.Parse(xml);
var ciudad = doc.Descendants("Ciudad").FirstOrDefault();
```

Como podemos ver en el bloque de arriba, la ventaja de la API XDocument es que se trabaja con IEnumerable<XElement>, lo que permite usar los métodos LINQ vistos en el capítulo LINQ para diseñar y analizar un archivo XML con facilidad.

4. Serialización JSON

En la actualidad, el formato de datos JSON es el más usado para intercambiar información debido a su simplicidad, pero también a su ligereza sintáctica respecto al XML. Por ello, el framework .NET permite tratar el formato JSON de manera nativa.

Desde el framework .NET Core 3, los ingenieros de Microsoft han añadido directamente en el framework una manera nueva de tratar los flujos JSON, más eficiente que el planteamiento anterior, y todo esto para dejar de depender del paquete comunitario más ampliamente usado hasta entonces: NewtonSoft.Json.

A semejanza de la API proporcionada para el tratamiento XML, hay dos enfoques para tratar el JSON:

- De manera procesal, leyendo el flujo de extremo a extremo con ayuda de un cursor gracias a las clases `Utf8JsonReader` y `Utf8JsonWriter`.
- Con un enfoque orientado al documento, a semejanza de `XDocument`, gracias a la clase `JsonDocument`.

4.1 Utf8JsonReader y Utf8JsonWriter

El formato JSON es relativamente sencillo porque el tipo de datos encontrado durante la lectura de un flujo JSON forzosamente está contenido en la lista siguiente:

- Inicio o final del objeto.
- Inicio o final de la tabla.
- Nombre de propiedad.
- Valor (cadena de caracteres, numérica o booleana).

Por ello, el enfoque sostenido en la clase `Utf8JsonReader` se centra en la lectura de los datos uno por uno, y es función del desarrollador definir lo que quiere realizar.

Consideramos el siguiente flujo JSON:

```
var json = @"{
  ""Nombre"" : ""Christophe"",
  ""Apellido"" : ""Mommer"",
  ""Edad"" : 33,
  ""Dirección"" : {
    ""Calle"": ""Plaza del Reloj"",
    ""Ciudad"" : ""Talavera de la Reina""
  }
}";
```

Observación

Cuando se utiliza el carácter @ delante de una cadena de caracteres, se debe huir del uso de comillas en la cadena. Considerando que no se puede utilizar la barra invertida, es necesario usar comillas dobles.

Se puede usar la clase `Utf8JsonReader` para leer el flujo de manera procesal. Para poder usar esta clase, hay que construirla con una tabla de bytes que contiene el flujo JSON que se va a tratar. La clase `Encoding`, en el espacio de nombres `System.Text`, ofrece los distintos tipos de codificación disponibles para poder convertir cadenas a y desde tablas de bytes. Así, podemos inicializar nuestra instancia de la clase `Utf8JsonReader` de esta manera:

```
var bytes = System.Text.Encoding.UTF8.GetBytes(json);
var reader = new Utf8JsonReader(bytes);
```

Una vez creada la instancia, podemos usarla para leer el flujo. El método `Read` permite colocar el cursor en un elemento para analizarlo. Por eso, `Read` permite avanzar en el archivo de elemento en elemento. Si se quiere recuperar el nombre y el apellido de una persona, se puede escribir el siguiente bucle:

```
string nombre = "";
string apellido = "";
while (reader.Read() && (string.IsNullOrEmpty(nombre) ||
string.IsNullOrEmpty(apellido)))
{
    if (reader.TokenType == JsonTokenType.PropertyName &&
reader.GetString() == "Nombre")
    {
        reader.Read();
        nombre = reader.GetString();
    }
    else if (reader.TokenType == JsonTokenType.PropertyName &&
reader.GetString() == "Apellido")
    {
        reader.Read();
        apellido = reader.GetString();
    }
}
System.Console.WriteLine("Hola " + nombre + " " + apellido);
```

La clase `Utf8JsonWriter` permite escribir JSON de manera procesal en un stream. Así, si se quiere crear, con ayuda de esta clase, el mismo contenido JSON que el del ejemplo anterior y escribirlo en un archivo, se usa el siguiente código:

```
// producir json con formato que gestiona los acentos
// y caracteres especiales
var opcs = new JsonWriterOptions
{
    Indented = true,
    Encoder = JavaScriptEncoder.Create(UnicodeRanges.All)
};
using (var stream = new FileStream("person.json", FileMode.Create))
{
    using (var writer = new Utf8JsonWriter(stream, opcs))
    {
        writer.WriteStartObject(); // {
        writer.WriteString("Nombre", "Christophe");
// "Nombre" : "Christophe",
        writer.WriteString("Apellido", "Mommer"); // ""Apellido" :
"Mommer",
        writer.WriteNumber("Edad", 33); // "Edad" : 33,
        writer.WriteStartObject("Dirección"); // "Dirección" : {
        writer.WriteString("Calle", "Plaza del Reloj");
// "Calle" : "Plaza del Reloj",
        writer.WriteString("Ciudad", "Talavera de la Reina");
// "Ciudad" : "Talavera de la Reina"
        writer.WriteEndObject(); // fin del objeto dirección
        writer.WriteEndObject(); // fin del objeto principal
    }
}
```

Observación

Se confirma la necesidad de definir las opciones del serializador de salida porque este último, de manera predeterminada, produce JSON bruto (sin formato y sin sangrar) y solo considera los caracteres presentes en el idioma inglés. Usando las opciones definidas, se crea JSON con formato y sangrado teniendo en cuenta todos los caracteres especiales.

4.2 JsonDocument

A semejanza de la API proporcionada para el XML con `XDocument`, JSON también tiene una clase que permite leer un flujo JSON de manera más fácil, la clase `JsonDocument`.

Se inicializa una variable de tipo `JsonDocument` con el método `Parse`, que toma como parámetro el flujo JSON bajo la forma de cadena de caracteres o bajo la forma de stream:

```
var json = @"{
        ""Nombre"" : ""Christophe"",
        ""Apellido"" : ""Mommer"",
        ""Edad"" : 33,
        ""Dirección"" : {
            ""Calle"": ""Plaza del Reloj"",
            ""Ciudad"" : ""Talavera de la Reina""
        }
    }";
using(var doc = JsonDocument.Parse(json))
{
    ...
}
```

Una instancia de `JsonDocument` contiene `JsonElement` a partir de los que se pueden leer los datos. La propiedad `RootElement` proporciona el elemento de base a partir del que se puede trabajar:

```
string nombre = doc.RootElement.GetProperty("Nombre").GetString();
string apellido = doc.RootElement.GetProperty("Apellido").GetString();
int age = doc.RootElement.GetProperty("Edad").GetInt32();
string calle =
doc.RootElement.GetProperty("Dirección").GetProperty("Calle").GetString()
string ciudad =
doc.RootElement.GetProperty("Dirección").GetProperty("Ciudad").GetString();

System.Console.WriteLine("Hola " + nombre + " " + apellido);
```

Observación

El formato estándar JSON autoriza a empezar un flujo mediante una declaración de un objeto o mediante una tabla. En el caso de una tabla, un descripto de acceso mediante índice permite acceder a un elemento dado, siempre usando un índice que empieza en 0.

4.3 JsonSerializer

Probablemente se trata de la API más sencilla para trabajar el JSON; la clase `JsonSerializer` permite (de)serializar objetos hacia y desde un flujo JSON.

A diferencia del enfoque binario o XML, no es necesario tener atributos cualesquiera en el modelo para permitir la serialización. Por supuesto, hay algunos atributos que permiten controlar la serialización, pero de ningún modo son obligatorios. El planteamiento de la clase `JsonSerializer` es serializar todas las propiedades con un `get` y un `set` accesibles públicamente.

```
public class PersonaJson
{
    public string Nombre { get; set; }
    public string Apellido { get; set; }
    public int Edad { get; set; }
}

var persona = new PersonaJson
{
    Nombre = "Christophe",
    Apellido = " Mommer",
    Edad = 33
};
var json = JsonSerializer.Serialize(persona);
```

Se pueden especificar opciones en el método `Serialize`, como el hecho de querer recuperar JSON sangrado y con formato:

```
var json = JsonSerializer.Serialize(persona, new
JsonSerializerOptions { WriteIndented = true });
```

El planteamiento es totalmente automático para el objeto y su jerarquía. Esta manera de proceder también tiene un rendimiento elevado en tiempo de ejecución y en consumo de memoria.

Además, el método de deserialización es sencillo; solo hay que indicar entre comillas, antes de la llamada, el tipo de destino que se quiere recuperar:

```
var personaDeserializa = JsonSerializer.Deserialize<PersonaJson>(json);
```

Se pueden usar ciertos atributos para controlar la serialización. Estos atributos se encuentran en el espacio de nombres `System.Text.Json.Serialization`. Allí se encuentran principalmente los siguientes elementos:

- `JsonIgnore` para indicar que no se quiere tratar la propiedad representativa.
- `JsonPropertyName` para no usar el nombre de la propiedad predeterminada, sino darle otro nombre a la propiedad en el JSON.

Así, se podría modificar el modelo de la siguiente manera, para no serializar la edad y tener el dato `Nombre` en una propiedad JSON llamada `Name`:

```
public class PersonaJson
{
    public string Nombre { get; set; }
    [JsonPropertyName("Name")]
    public string Apellido { get; set; }
    [JsonIgnore]
    public int Edad { get; set; }
}
```

Otro atributo muy útil permite gestionar el desfase entre las versiones de los objetos y los datos serializados. Por ejemplo, consideramos que la clase `PersonaJson` tiene una versión 2 que incluye la fecha de nacimiento:

```
public class PersonaJson_2
{
    public string Nombre { get; set; }
    [JsonPropertyName("Name")]
    public string Apellido { get; set; }
    [JsonIgnore]
    public int Edad { get; set; }
    public DateTime FechaNacimiento { get; set; }
}
```

¿Qué pasaría si intentáramos deserializar un flujo JSON producido por la clase `PersonaJson_2` en una instancia `PersonaJson`? Nada, salvo que el dato `FechaNacimiento` no sería retomado (porque no hay propiedad que pueda albergar el dato dentro de la clase `PersonaJson`). Además, esto significa que, si se produce una versión nueva del archivo JSON serializando el objeto `PersonaJson`, el dato no estará presente (dado que no hay propiedad) y entonces la información se perdería.

Existe un atributo dedicado a esta problemática, que permite alojar la información que no tiene propiedad dedicada dentro del objeto de destino: `JsonExtensionData`. Este atributo se debe encontrar encima de una propiedad de tipo `Dictionary<string, JsonElement>` para poder almacenar la información.

Así, con el siguiente flujo JSON y la clase `PersonaJson` modificada de esta manera, cuando se procede a la deserialización, la propiedad contiene una entrada:

```
public class PersonaJson
{
    public string Nombre { get; set; }
    [JsonPropertyName("Name")]
    public string Apellido { get; set; }
    [JsonIgnore]
    public int Edad { get; set; }
    [JsonExtensionData]
    public Dictionary<string, JsonElement> ExtData { get; set; }
        = new();
}
var persona = new PersonaJson_2
{
    Nombre = "Christophe",
    Apellido = "Mommer",
    Edad = 33,
    FechaNacimiento = new DateTime(1988, 12, 18)
};
var json = JsonSerializer.Serialize(persona);

var person_v1 = JsonSerializer.Deserialize<PersonaJson>(json);
```

```
var pers      Edad [int]: 0
{           v ExtData [Dictionary]: Count = 1
    Apel      v [0] [KeyValuePair]: {[FechaNacimiento, 1988-12-18T00:00:00]}
    Nomb          Key [string]: "FechaNacimiento"
    Edad        > Value [JsonElement]: ValueKind = String : "1988-12-18T00:00:00"
    Fech      > Vista sin formato
};
var json      Nombre [string]: "Christophe"                     Indented=true});
var persona_v1 = JsonSerializer.Deserialize<PersonaJson>(json);
}
```

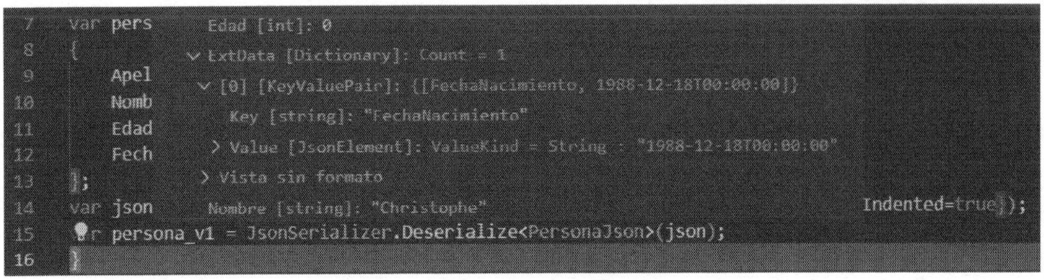

Almacenamiento de los datos adicionales

Para cerrar la sección sobre la clase `JsonSerializer`, hemos visto que se puede pasar una instancia de la clase `JsonSerializerOptions` que también permite controlar la manera debida para el desarrollo de las operaciones. Hay algunas propiedades interesantes para descubrir dentro de la clase `JsonSerializerOptions`:

- `WriteIndented`: permite definir si se debe sangrar y dar formato a la salida o no. Su valor predeterminado es `false` porque un flujo sin sangrar y sin formato es más ligero y aumenta el rendimiento.
- `AllowTrailingCommas`: permite definir si el motor debe ser estricto respecto a las comas adicionales inútiles (como una coma en la última línea que contiene la última propiedad) y tratarlas como errores o simples advertencias.
- `PropertyNameCaseInsensitive`: permite definir si el nombre de las propiedades durante la deserialización debe tener en cuenta o no el hecho de que las letras sean mayúsculas o minúsculas. Esta propiedad tiene el valor `false` de manera predeterminada porque la comparación que tiene en cuenta las mayúsculas y las minúsculas presenta un rendimiento mayor. Sin embargo, al integrarse con otros sistemas, programados en otros lenguajes, como JavaScript, se recomienda poner este valor a `True` para evitar los problemas de mayúsculas y minúsculas.
- `Encoder`: permite definir el codificador que se va a utilizar. Hemos visto un ejemplo que permite gestionar los caracteres especiales/acentuados.
- `IgnoreNullValues`: permite definir cómo considerar los valores `null`. Si este valor se pasa a `true`, las propiedades que tienen el valor `null` no se serializan como salida.
- `IgnoreReadOnlyProperties`: permite definir si hay que ignorar los valores que solo son accesibles en el modo de lectura. De manera predeterminada, estos últimos solo se leen para ser serializados, pero no podrán ser deserializados porque la propiedad no se podrá asignar.

5. Ejercicio

El propósito de este ejercicio es poner en práctica las distintas formas de serialización vistas en este libro, tanto de lectura como de escritura.

5.1 Enunciado

La base de trabajo es el proyecto desarrollado en el capítulo Programación orientada a objetos y en el capítulo Algoritmia: el juego para adivinar el número misterioso. Aquí, se trata de crear una tabla de puntuaciones que se mostrará debajo del menú del juego, proponiéndole al jugador introducir su nombre si se clasifica como uno de los cinco mejores jugadores.

Para hacerlo, se calcula una cantidad de puntos correspondiente a la siguiente fórmula: número de posibilidades + (número de intentos que quedan elevado a la dificultad).

Por ejemplo, si un jugador ha intentado adivinar un número entre 1 y 100, hay 100 posibilidades. Si ha elegido jugar en modo fácil, el nivel de dificultad es 1. Entonces hay que poner la cantidad de intentos que quedan como potencia de este número. Si el jugador ha ganado en cuatro intentos, le quedan 6, lo que da 100 + 6 elevado a 1 = 106 puntos.

Observación

El operador C# que se usará para hacer una potencia es ^. Así, para almacenar en una variable 2 elevado a 3, se escribe `var i = 2 ^ 3;`.

Entonces hay que leer la tabla de las puntuaciones y ver si el jugador puede entrar en el grupo de los cinco mejores. En caso afirmativo, se le pide que introduzca su nombre para registrarlo en la posición correcta.

No hay limitaciones específicas sobre el tipo de serialización que se debe usar ni sobre la manera de abordar la solución. Sin embargo, en este libro la solución de este ejercicio se hará en JSON.

Para estar seguros de que las puntuaciones se pueden leer, hay que garantizar que el archivo existe en el disco. Para eso, hay que usar la clase `File`, disponible en el espacio de nombres `System.IO`, y especialmente la función `Exists`, para comprobar si existe un archivo. Si el archivo existe, se puede leer el contenido del archivo JSON con el método `ReadAllText`, al igual que se puede escribir con el método `WriteAllText`:

```
var puntuacionArchivo = "puntuaciones.json";
string json = "";
if(File.Exists(puntuacionArchivo))
{
    json = File.ReadAllText(puntuacionArchivo);
}
...
File.WriteAllText(puntuacionArchivo, json);
```

Para almacenar la información en el archivo, hay que crear un modelo que se pueda serializar y deserializar (se almacenará una lista de este modelo). La información para almacenar es:

- La puntuación del jugador.
- El nombre del jugador.

Para facilitar la tarea, considerando que solo se guardan los cinco mejores jugadores, se volverán a calcular las posiciones cuando se haya calculado la nueva puntuación. Para que una puntuación entre en las cinco mejores, debe ser estrictamente superior a la más baja de la lista (si la lista de las cinco está completa). Si la lista no está completa, entra de manera efectiva entre las cinco mejores según su posición.

5.2 Solución

Lo primero que hay que hacer cuando se llega al juego es mostrar la lista de los mejores jugadores con su puntuación si esta lista existe. Para hacerlo, se crea un método dedicado.

```
private static void MostrarMejoresPuntuaciones()
{
    var puntuacionArchivo = "puntuaciones.json";
    string json = "";
    if (File.Exists(puntuacionArchivo))
    {
        json = File.ReadAllText(puntuacionArchivo);
    }
    if (!string.IsNullOrWhiteSpace(json))
    {
        puntuaciones = JsonSerializer.Deserialize<List<PlayerScore>>(json);
        System.Console.WriteLine("Tabla de los mejores jugadores");
        foreach (var puntuacion in puntuaciones.OrderBy(s => s.Position))
        {
            System.Console.WriteLine(puntuacion.Position + " - " +
puntuacion.PlayerName + " : " + puntuacion.Puntuacion);
        }
    }
    else
    {
        puntuaciones = new List<PlayerScore>();
    }
}
```

Cuando el juego termina, si el jugador ha ganado, se calcula su puntuación y se determina si está entre los cinco mejores.

```
private static void VerificarPuntuacionParaCincoMejores(int limiteMaximo,
int numIntentosUsados, int intentos)
{
    var playerScore = limiteMaximo + ((numIntentosUsados - intentos) ^
dificultad);
    if (puntuaciones.Count == 0)
    {
        AddPlayerScore(playerScore);
    }
    else if(puntuaciones.Count == 5)
    {
        if (puntuaciones.Min(s => s.Puntuacion < playerScore))
        {
            AddPlayerScore(playerScore);
```

```
            }
        }
        else
        {
            if (puntuaciones.Min(s => s.Score <= playerScore))
            {
                AddPlayerScore(playerScore);
            }

        }
        int position = 1;
        foreach (var puntuacion in puntuaciones.OrderByDescending(s =>
s.Puntuacion))
        {
            puntuacion.Position = position;
            position++;
        }
        File.WriteAllText("puntuaciones.json",
JsonSerializer.Serialize(puntuaciones.Take(5)));
}

private static void AddPlayerScore(int playerScore)
{
    Console.WriteLine("Escriba su nombre para registrarlo en la tabla");
    string playerName = Console.ReadLine();
    var puntuacion = new PlayerScore
    {
        PlayerName = playerName,
        Puntuacion = playerScore
    };
    puntuaciones.Add(puntuacion);
}
```

Capítulo 7
Conceptos avanzados

1. Asincronismo

1.1 Funcionamiento básico

Antes de abordar el asincronismo de manera detallada, es necesario introducir algunos conceptos, especialmente para comprender correctamente dos ideas que son distintas, pero a menudo se confunden: el paralelismo y el asincronismo.

En esta sección vamos a tratar el concepto de asincronismo, que consiste en relegar una operación a un segundo plano y seguir ejecutando el código restante cuando se ha terminado la operación. Para comprender correctamente la lógica detrás del asincronismo, podemos intentar hacer una comparación con un ejemplo de la vida diaria.

Cuando se pone en marcha una lavadora, esta realiza su trabajo de manera asíncrona respecto a nosotros, lo que permite, durante este tiempo, ocuparse de otra cosa. Cuando ha terminado el ciclo, emite un sonido para avisar, y se puede recoger la ropa para tenderla. Considerando que somos el programa principal, y que la ropa es el código que se debe ejecutar de manera asíncrona, podemos observar el concepto de asincronismo.

Cuando metemos la ropa dentro de la máquina y la ponemos en marcha, delegamos trabajo aplicado a esta ropa en otra entidad que no somos nosotros. Cuando este trabajo ha terminado, podemos retomar nuestro propio trabajo. Aquí tenemos el concepto de asincronismo.

En cuanto al paralelismo, se trata de hacer varias cosas al mismo tiempo. Por ejemplo, si se elige poner en marcha una lavadora y, en el mismo intervalo, también se pone en marcha el lavavajillas, las dos máquinas funcionarán en paralelo consumiendo recursos compartidos (agua y electricidad). Esto permite optimizar el tiempo de ejecución compartiendo los mismos recursos.

No se deben confundir los dos conceptos, aunque sean complementarios. Especialmente porque el uso de uno u otro depende en gran medida del uso buscado:

- El asincronismo se usa cuando queremos acceder a un recurso sobre el que no tenemos control respecto al tiempo de acceso (lectura de archivo, recurso de red, base de datos, consulta web, etc.). También podemos usar el asincronismo cuando queremos ejecutar una parte de código sin tener certeza sobre la duración de la ejecución, y queremos que esta ejecución no bloquee nuestro programa principal.
- El paralelismo se usa cuando queremos explotar los recursos al máximo, especialmente con fines de optimización, y cuando las acciones se pueden realizar en paralelo (cálculos matemáticos separados, multiplicación de matrices, recorrido de carpeta, etc.). Con mucha frecuencia, una ejecución en paralelo es síncrona, lo que quiere decir que cada rama se ejecuta a su propia velocidad, pero se espera a la ejecución de todas las ramas antes de continuar.

Para comprender bien el funcionamiento subyacente, hay que introducir la idea de thread (hilo).

1.2 Thread y asincronismo

Un thread es un pequeño fragmento de programa que se puede ejecutar de manera autónoma. En C#, que es un lenguaje de programación multihilo, la ejecución del programa se desarrolla en varios hilos simultáneamente. Resumiendo, la runtime .NET divide la ejecución del programa en varios fragmentos pequeños y cada uno se puede ejecutar por separado. La coordinación de esta ejecución pasa al nivel de sistema operativo, un tema que no trataremos en este libro porque es demasiado avanzado.

El concepto principal que hay que recordar es que el programa está dividido en varios hilos. El asincronismo se basa directamente en este concepto de thread de manera bastante intensiva.

Para simplificar, un thread se puede encontrar en unos de los tres estados siguientes: listo, en ejecución o bloqueado. Cuando un thread está listo, eso significa que se puede ejecutar cuando lo decide el sistema operativo. Cuando está bloqueado, eso significa que está esperando a un recurso; por ejemplo: si en el código se decide leer el contenido de un archivo grande situado en el disco, el thread que ejecuta el código está bloqueado esperando a que el archivo se lea por completo. Cuando se ha leído el archivo, el thread vuelve a pasar al estado «listo» hasta que el sistema operativo decide que el thread puede retomar su ejecución.

Esto pone de manifiesto la necesidad de asincronismo. En el ejemplo anterior, cuando se intenta acceder al archivo, el thread está bloqueado todo el tiempo; entonces pasa al estado bloqueado. Si se decide delegar esta lectura en un thread que se ejecuta en segundo plano de manera asíncrona, el thread principal no está bloqueado y puede ejecutar otra parte del código mientras se realiza la lectura. Cuando la lectura ha terminado, un mecanismo avisa a nuestro thread de que se ha producido el resultado y de que a partir de ahora es posible tratar el contenido del archivo.

1.3 Asincronismo en C#

Una vez estudiados los conceptos básicos, vamos a ver cómo escribir código asíncrono en C#. Todo el código asíncrono en C# se basa en la idea de promesa: del código que se ejecuta en segundo plano y que produce un resultado.

Una promesa se aloja en la clase `Task`. Esta clase permite activar un mecanismo de espera de ejecución y también gestionar los posibles errores que se producen de manera subyacente.

La clase `Task` se puede usar directamente para representar una promesa sin resultado esperado. También es posible esperar un resultado cualquiera con ayuda de la clase `Task<T>`, donde `T` corresponde al tipo del resultado. Por ejemplo, el siguiente código muestra una función que devuelve una promesa sin resultado, así como una promesa con un resultado de tipo `string`:

```
public Task PromesaSimple() { ... }
public Task<string> PromesaConString() { ... }
```

La clase `Task` expone varios métodos y datos que se pueden usar para utilizarla correctamente:

- El método `Delay`, que permite especificar un período en milisegundos, sirve para crear una promesa realizada al cabo de un tiempo determinado, definido manualmente:

```
var cincoSegundos = Task.Delay(5000); // aquí se obtendrá
una promesa que se realizará transcurridos 5 segundos
```

- El método `ContinueWith`, que permite definir la función que se ha de encadenar inmediatamente después de la ejecución de una tarea. Esta función toma como parámetro la tarea que acaba de terminar para analizar el resultado de su ejecución:

```
cincoSegundos.ContinueWith(t => ...);
```

- El método estático `FromResult`, que permite crear una tarea que contiene un resultado ya disponible:

```
var cinco = Task.FromResult(5); // aquí se obtiene una Task<int>
```

- La propiedad estática `CompletedTask`, que permite crear una tarea ya terminada:

```
var completa = Task.CompletedTask;
```

- La propiedad `Result`, que permite acceder al resultado, solo si la tarea tiene un resultado:

```
var cincoEnInt = cinco.Result; // aquí se obtiene un int que vale 5
```

Observación

*Atención, es **imperativo** acceder a la propiedad `Result` de una `Task` solo si esta última ya ha terminado. En caso contrario, el thread estará bloqueado esperando a que termine la tarea y que se calcule el resultado, lo que puede provocar una espera infinita (deadlock).*

Aunque la clase `Task` sea la base del asincronismo, desde C# 5 se han añadido dos palabras clave para que su uso resulte más fácil.

1.4 Las palabras clave async y await

Las dos palabras clave `async` y `await` son ventajas sintácticas, es decir, son palabras clave que detecta el compilador para generar automáticamente el código subyacente necesario. Hemos visto que una instancia de la clase `Task` es una promesa de ejecución, pero no hemos visto cómo conseguir de manera efectiva que se ejecute una tarea.

Por ejemplo, si tenemos una función que realiza un cálculo basado en la lectura de un archivo de Excel y que devuelve un valor digital, primero necesitamos leer el contenido del archivo, luego hacer el cálculo y finalmente devolver el resultado. El código correspondiente sería el siguiente:

```
public int ObtenerResultado()
{
    var contenidoArchivo = LeerArchivoExcel();
    int resultado = 0;
    foreach(var linea in contenidoArchivo)
    {
           resultado = resultado + int.Parse(linea);
    }
    return resultado;
```

```
}


public string[] LeerArchivoExcel()
{
    //lectura del archivo y devolución de las líneas del archivo
}
```

Es probable que este código sea funcional, pero no está optimizado porque la lectura del archivo se hace de manera síncrona y, por lo tanto, bloqueante. Por supuesto, no se quiere hacer el cálculo antes de que se haya leído el archivo, pero sería una pena bloquear el thread que llama a este método cuando podría estar asignado a otra tarea.

Por eso, es necesario que el método `LeerArchivoExcel` no devuelva el resultado directamente, sino que en su lugar devuelva un resultado de tipo `Task<string[]>`, la promesa de que se leerán las líneas del archivo. Sin embargo, por otra parte, el método `ObtenerResultado` debe esperar a que se lea el archivo y, por lo tanto, a que se haya ejecutado la tarea. Ahora es cuando entran en juego las palabras clave `async` y `await`.

La palabra clave `async` debe estar colocada dentro del prototipo de método para indicar que este método se comporta de manera asíncrona. Gracias a esta adición, el compilador se ocupa de transformar un tipo de retorno cualquiera en `Task`, de manera que no sea necesario hacer un `Task.FromResult` o cualquier otra creación explícita de tarea.

Para poder esperar a un método que ha sido marcado como `async Task`, dentro del método que hace la llamada (el que espera), hay que usar la palabra `await` delante de la llamada del método asíncrono, para que el compilador se encargue de crear el código de espera. De esta manera, el resultado se puede recuperar directamente. Así, el código anterior se ha transformado de la siguiente manera:

```
public async Task<int> ObtenerResultado()
{
    var contenidoArchivo = await LeerArchivoExcel();
    int resultado = 0;
    foreach(var linea in contenidoArchivo)
    {
           resultado = resultado + int.Parse(linea);
    }
```

```
    return resultado;
}


public async Task<string[]> LeerArchivoExcel()
{
    //lectura del archivo y devolución de las líneas del archivo
}
```

Observación

*Es importante señalar que la palabra clave `await` **SOLO** se puede usar en un método que se ha marcado como `async`. De la misma manera, **SOLO** se puede usar para esperar a un método que devuelve una `Task` (o `Task<T>`), sin que por ello esta última esté marcada como `async`. Hablamos de código zombi porque, cuando se empiezan a usar estas palabras clave, a menudo se propagan en toda la cadena de llamadas.*

En el caso de que el método `ObtenerResultado` no devolviera ninguna información, sería posible calcular el resultado y tratarlo con ayuda del método `ContinueWith` para evitar transformar este método con la palabra clave `async`. Sin embargo, en cuanto sea posible, hay que usar `await`.

De la misma manera, si, por cualquier motivo, el método `LeerArchivoExcel` devuelve una excepción, el uso de la palabra clave `await` garantiza que la excepción sea tratada y devuelta al que realiza la llamada con `await`, lo que no sucede con los otros enfoques.

Para resumir esta sección, el asincronismo es un tema completo y complejo, cuyo uso se ha simplificado mucho con C# 5 y se podría sintetizar mediante las siguientes etapas:

- Modificar la firma de método para devolver una `Task` (o `Task<T>`) y añadirle la palabra clave `async`.
- Añadir delante de la llamada a un método `async` (que devuelve una `Task`) la palabra clave `await` para esperar el resultado antes de seguir.

Para cerrar esta sección, hay que observar que un método marcado con `async` debe devolver obligatoriamente un tipo específico, comprensible por el compilador. Aquí, el tipo `Task` completa por nosotros todas estas particularidades.

También es posible tener un método `async void`, pero no se recomienda (salvo en casos muy poco frecuentes, como la gestión de los eventos gráficos en una aplicación) porque entonces no es posible esperar a este método (no se puede usar `await` con un método `async void`). Si el uso de un método async `void` es obligatorio, es **IMPERATIVO** garantizar que este método no pueda devolver una excepción (por lo tanto, hacer un `try catch` global, como mínimo) porque eso puede poner en peligro la ejecución global del programa.

1.5 Flujos asíncronos

C# 8 aportó una función asíncrona nueva muy esperada: los flujos asíncronos. Antes de esta versión, para obtener una colección de objetos de manera asíncrona, era necesario que el método que crea la colección fuera asíncrono, pero también que se hubiera creado toda la colección:

```
public async Task<IEnumerable<int>> GetInts()
{
    var resultado = new List<int>();
    for(int i = 1; i <= 10; i++)
    {
            // aquí, debería haber una recuperación del
valor de manera asíncrona, como un contacto en un servicio web
o una base de datos
            // entonces vamos a simular una espera
            await Task.Delay(100);
            Resultado.Add(i);
    }
    return resultado.AsEnumerable();
}
```

Como se puede constatar en el código de ejemplo de arriba, el método es asíncrono. Sin embargo, estamos obligados a esperar a que se hayan recuperado todos los valores y que se haya completado la colección antes de tener el retorno de información. No se puede recuperar un valor para tratarlo esperando al siguiente.

Desde C# 8 han llegado tipos nuevos, con un soporte del lenguaje para el tratamiento. Entre ellos, encontraremos el tipo `IAsyncEnumerable`. Podemos volver a escribir el método anterior usando el tipo nuevo con la palabra clave `yield`:

```
public async IAsyncIEnumerable<int> GetInts()
{
    for(int i = 1; i <= 10; i++)
    {
            // aquí, debería haber una recuperación del
valor de manera asíncrona, como un contacto en un servicio web
o una base de datos
            // entonces vamos a simular una espera
            await Task.Delay(100);
            yield return i;
    }
}
```

Observación

Se puede observar que el uso del tipo `IAsyncEnumerable` no está empaquetado dentro de una clase `Task`. Esto se debe al hecho de que el tipo dispone de un soporte por parte del lenguaje que permite gestionar el asincronismo sin que sea necesario el uso del tipo `Task`.

Cuando el método tenga un tipo de retorno `IAsyncEnumerable`, hay que usar una instrucción de enumeración de tipo `foreach`, con el prefijo `await`, para poder iterar en la colección asíncrona:

```
await foreach(var i in GetInts()
{
    Console.WriteLine(i);
}
```

Hay que destacar que la palabra clave `await` no está colocada antes del método, como en el caso de los métodos asíncronos clásicos, sino antes de la palabra clave `foreach`, para usar la función del lenguaje que indica que se quiere recuperar cada elemento de manera asíncrona.

Así, en el ejemplo anterior, la consola muestra los nombres conforme los recibe, mientras que en el primer ejemplo nos habríamos visto obligados a esperar el llenado completo de la colección. Este enfoque es muy práctico para la recuperación de datos desde un servicio web en modo streaming.

2. Algoritmia avanzada

Durante todo el libro, hemos estudiado la algoritmia básica, que permite abarcar un amplio perímetro funcional. Sin embargo, C# y el framework .NET tienen una cantidad enorme de funcionalidades más avanzadas. En este capítulo vamos a estudiar algunas.

2.1 Programación dirigida por eventos

La programación dirigida por eventos permite reaccionar a eventos que se producen durante la ejecución de una aplicación. Hasta ahora, hemos reaccionado de manera síncrona a un evento particular (como, por ejemplo, esperar a que el usuario introduzca un valor en la consola). Sin embargo, C# proporciona un mecanismo potente que permite hacer programación reactiva, es decir, no esperar a un evento cualquiera, sino reaccionar solo cuando se produzca un evento particular.

2.1.1 Los delegate

Para entender bien el tema, es necesario comprender un principio que se remonta a C# 2: los delegate. Un delegate es el equivalente de un descriptor de un método, y una variable de tipo `delegate` corresponde a un puntero efectivo hacia un método.

Para declarar un delegate, hay que usar la palabra clave dedicada, `delegate`; luego declarar la firma de método a la que se quiere apuntar, con su tipo de retorno y sus posibles parámetros (o paréntesis vacíos si no hay ningún parámetro):

```
public delegate void MiDelegadoVoidSinParametros();
public delegate string MiDelegadoDevuelveString();
public delegate void MiDelegadoVoidConParametros(string data);
```

En el bloque de código anterior, hemos declarado tres delegate:

- El primero permite apuntar a un método que devuelve `void` y no toma parámetros.
- El segundo permite apuntar a un método que devuelve un `string` y no toma parámetros.

– El tercero permite apuntar a un método que devuelve `void` y toma un parámetro de tipo `string`.

Observación

Los delegate se pueden declarar en una clase y solo se podrán usar dentro de esta última. Si no, también se pueden declarar directamente en un espacio de nombres (al mismo nivel que una clase) para usarlos en varias clases.

Una vez definido un `delegate`, se puede declarar una variable del tipo del `delegate` y hacerlo apuntar hacia cualquier método que tenga la firma requerida:

```
Public delegate void MiDelegadoVoidSinParametros();
public class Cap7Delegates
{
    public void Main()
    {
        MiDelegadoVoidSinParametros d = Metodo;
    }

    public void Metodo()
    {
    }
}
```

Gracias a esto, el método se puede ejecutar directamente mediante la variable, o incluso usarlo como parámetro de otro método:

```
public delegate void MiDelegadoVoidSinParametros();
public class Cap5Delegates
{
    public void Main()
    {
        MiDelegadoVoidSinParametros d = Metodo;
        // hacer cosas
        d(); // ejecución del delegate
        MetodoCompleto(d);
    }

    public void MetodoCompleto(MiDelegadoVoidSinParametros metodo)
    {
        // hacer cosas
        metodo();
```

```
    }

    public void Metodo()
    {

    }
}
```

Si el `delegate` define un método que toma uno o varios parámetros, es necesario especificar su valor cuando se llama, como se haría para un método clásico:

```
public delegate void MiDelegadoVoidConParametros(string data);

public class Cap5Delegates
{
    public void Main()
    {
        MiDelegadoVoidConParametros d2 = System.Console.WriteLine;
// atajo hacia el método Console.WriteLine
        d2("Aprendo los delegate en C#");
    }
}
```

Ahora que hemos visto el concepto de delegate, podemos abordar el de evento, que se apoya en un delegate.

2.1.2 Los eventos

Un evento es un objeto particular que permite gestionar la suscripción y la cancelación de la suscripción a una clase dada. Gracias a este enfoque, para una clase dada se puede publicar una información sin tener que conocer sus destinatarios. Para hacer un paralelismo con la vida diaria, se puede tomar el ejemplo de la radio.

En efecto, una estación de radio emite una señal, sin saber específicamente quién va a captar esta emisión. Las ondas se emiten y los que quieren recibir la información procedente de esta estación específica deben encender su radio y ajustarla en la frecuencia adecuada (equivalente a la suscripción en C#). Una vez hecho eso, el receptor puede recibir la señal.

Cuando el oyente no quiere escuchar más, solo tiene que cancelar la suscripción (apagar la radio o cambiar de frecuencia), y eso no modifica en nada el comportamiento de la estación de radio, que seguirá emitiendo.

La lógica es totalmente similar para crear un evento en C#:

- Se necesita un emisor (una clase C# que define un evento, donde el emisor publicará información).
- Se necesita una frecuencia (el delegate permite definir qué tipo de función puede suscribirse al evento).
- Se pueden tener tantos receptores como se quiera (clases C# que van a suscribirse/cancelar la suscripción, a condición de tener un método que respete la firma del delegate).

Para declarar un evento en C#, se usa la palabra clave dedicada, `event`, añadiendo el delegate afectado y nombrándolo:

```
public class Cap5Delegates
{
    public event MiDelegadoVoidConParametros EmisionDeDatos;
}
```

Cuando se ha declarado el evento, la clase que emite puede invocarlo (gracias al método `Invoke` llamado en la variable):

```
public class Cap5Delegates
{
    public event MiDelegadoVoidConParametros EmisionDeDatos;

    public void EmitirNumeros()
    {
        for (int i = 0; i < 10; i++)
        {
            EmisionDeDatos.Invoke(i.ToString());
        }
    }
}
```

En el bloque de código de arriba, cuando se llama al método `EmitirNumeros`, cada clase suscrita al evento recibe los números del 0 al 9 bajo la forma de cadena de caracteres. Esto significa que se llama diez veces al método de la clase suscrita al evento y cada vez el número afectado es un parámetro.

Para ilustrar este funcionamiento, vamos a crear una clase nueva que se suscribirá:

```
public class Cap5EventSubscriber
{
    public void Main()
    {
        var producer = new Cap5Delegates();
        producer.EmisionDeDatos += LeerNumero;

        producer.EmititNumeros();

        producer.EmisionDeDatos -= LeerNumero;

    }

    public void LeerNumero(string numero)
    {
        System.Console.WriteLine(numero);
    }
}
```

Como se puede comprobar, para suscribirse hay que tener una instancia de la clase que produce el evento (aquí, la crea el abonado, pero es posible pasarla como parámetro de método). Para hacer una suscripción efectiva, hay que usar la instancia de la clase que posee el evento y suscribirse con ayuda de += seguido del método con el que se quiere suscribir. Cuando se quiere cancelar la suscripción, se usa -=.

Observación

Es fundamental pensar correctamente en cancelar la suscripción de los eventos que ya no se quieren escuchar. El mecanismo de limpieza automática de la memoria en C# no se puede ejecutar correctamente si siempre hay una suscripción activa, incluso si está inutilizada. Este síndrome se llama pérdida de memoria y puede crear problemas de rendimiento en su aplicación.

2.2 Tipos genéricos

Sin ni siquiera saberlo, hemos usado los tipos genéricos durante todo este libro; esto nos da una idea de lo fundamentales que se han vuelto desde C# 2 en los nuevos tipos añadidos. Por ejemplo, cuando se ha usado la colección `List`, a menudo se llama `List<T>`, donde `T` toma la función de un tipo genérico.

2.2.1 Uso estándar

El concepto de tipo genérico es bastante sencillo de comprender: se trata de describir un tipo cualquiera que no está fijado en la declaración, pero que lo estará en el uso.

Para retomar el ejemplo de `List`, cuando los desarrolladores escriben la clase `List`, no pueden saber qué tipo se usará. La alternativa sería escribir una lista para cada tipo, pero este planteamiento no es extensible y es nocivo para la reutilización, porque en cada tipo nuevo hay que crear un tipo de lista nuevo. Por lo tanto, se declara la clase `List` como una clase que puede tomar un parámetro genérico correspondiente al tipo de datos que contendrá la lista. Esto permite crear una clase `List` que define un comportamiento común, y poco importa el tipo que aloja la clase.

La sintaxis se formaliza con ayuda de <, > para el uso, como ya hemos visto:

```
var listInt = new List<int>();
var listString = new List<string>();
```

Este planteamiento permite ganar en flexibilidad y en rendimiento porque el tipo es conocido en el momento de la creación del objeto.

Para crear una clase que usa un tipo genérico, se utiliza la misma sintaxis:

```
public class MiLista<T>
{
}
```

Aquí, se crea una clase llamada `MiLista` que usa un tipo genérico llamado `T`.

Observación

Llamar a su tipo genérico `T` es una convención y no una obligación. Se usa T porque es la primera letra de la palabra Tipo.

Una vez declarado al nivel de la clase, se puede usar `T` como un tipo que está dentro de la clase. Por ejemplo, en nuestra clase `MiLista`, podemos tener una instancia de una `List` de nuestro tipo `T`:

```
public class MiLista<T>
{
    public List<T> Lista { get; }
}
```

Así, si se instancia un objeto de tipo `MiList<int>`, esta última tiene una instancia interna de `List<int>` almacenada en la propiedad `Lista` porque el tipo `T` para nuestra clase es equivalente a `int`.

También podemos usar el tipo `T` como parámetro o como valor de retorno dentro de nuestra clase:

```
public class MiList<T>
{
    public T PrimerElemento()
    {
            return Lista.FirstOrDefault();
    }
    public void AnadirElemento(T element)
    {
            lista.Add(element);
    }
}
```

Esto no es posible porque el tipo `T` está definido en el nivel de la clase. Si se elimina `<T>` de la declaración de la clase, aparecerán errores de compilación porque entonces `T` no será conocido.

Se puede definir un tipo genérico dentro del perímetro de una función específica añadiendo la información al final de la firma de función:

```
public void AnadirElemento<T>() { }
```

Una vez añadida esta información, se puede usar el parámetro `T` como valor de retorno o como parámetro, mientras `T` se convierte en un tipo disponible solo dentro del marco de esta función en particular. Este planteamiento también protege la escritura del código porque el tipado es fuerte: una vez definido el tipo genérico, ya no es posible pasar por un tipo distinto. Así, el siguiente código provoca un error de compilación:

```
var lista = new MiLista<int>();
lista.AnadirElemento("lolo"); // error de compilación,
porque la variable lista se ha definido en un int y no en un string
```

2.2.2 Limitaciones en el tipo genérico

Los tipos genéricos también pueden tener limitaciones, para garantizar que los tipos que se usan durante la instanciación respetan ciertas condiciones. Para definir una limitación de tipo genérico, se usa la palabra clave `where`, seguida de la limitación o limitaciones después de la declaración. Una limitación se expresa retomando el nombre del parámetro genérico (aquí `T`), seguido de dos puntos y de la lista de las limitaciones, separadas por una coma. Tenemos las siguientes limitaciones:

- `where T : claseBasica`. indica que `T` debe heredar de una clase específica.
- `where T : interfaz`: indica que `T` debe implementar una interfaz específica.
- `where T : class`: indica que `T` debe ser un tipo de referencia.
- `where T : struct`: indica que `T` debe ser un tipo de valor.
- `where T : unmanaged`: desde C# 7.3, indica que `T` debe ser un tipo no gestionado. Esto significa que `T` debe ser un tipo de valor y no debe tener ningún vínculo con un tipo de referencia.
- `where T : new()` : indica que `T` debe tener un constructor sin parámetros accesible de manera pública.
- `where T : notnull`: desde C# 8, indica que `T` debe ser un tipo de referencia que no acepta valores NULL.

Por ejemplo, para ilustrar esto se puede considerar que la clase `MiLista` definida anteriormente solo puede aceptar tipos de referencia, con un constructor sin parámetro accesible de manera pública. Por eso, se modifica el código de la siguiente manera:

```
public class MiLista<T> where T : class, new()
{
}
```

Aunque son acumulables, como se ve arriba, las limitaciones de tipo genérico deben respetar un orden determinado, a riesgo de provocar un error de compilación. El compilador indica el orden en caso de mezcla:

```
La restricción new() debe ser la última restricción especificada [Ejemplo1] csharp(CS0401)
View Problem    No quick fixes available
0 references
public class MiLista<T> where T : new(), class
{
}
```

Mensaje de error en caso de no respetar el orden de las limitaciones

De la misma manera, no se pueden indicar limitaciones contradictorias, como `where T : class, struct`. En este caso preciso, si se quiere indicar que el tipo puede ser de tipo de referencia o de tipo de valor de manera indistinta, se evita poner una limitación específica.

2.3 Gestión de la memoria

El lenguaje C# se basa en una runtime que gestiona la memoria de manera automática. Así, cuando se ha realizado una instanciación (mediante la palabra clave `new`), la runtime calcula el espacio de memoria necesario, según lo que contiene la clase como datos, para reservar este espacio de memoria. Esta operación se llama asignación de memoria. La instancia se almacena en esta zona durante toda su vida. Cuando la instancia ya no se usa, se puede limpiar la zona de memoria. Al contrario de lo que sucede en lenguajes como C++, no es necesario que el programador haga la limpieza de la memoria; se puede usar un mecanismo automático llamado recolector de basura (*garbage collector* en inglés) que analiza la memoria y efectúa la limpieza.

La cuestión de la memoria es amplia y variada (solo con este tema se podría escribir un libro completo), pero vamos a ver algunos conceptos que permiten intervenir en el ciclo de limpieza y optimizar la memoria.

2.3.1 El destructor

Todas las clases tienen un constructor, que puede haber sido declarado por el programador o generado automáticamente por el compilador. Sin embargo, también es posible escribir un método especial, el destructor (también llamado finalizador), al que se llama en la destrucción de la clase y durante la limpieza mediante el *garbage collector*.

Observación

La llamada del destructor no es predecible en el tiempo porque el garbage collector pasa según un algoritmo que escapa al control del desarrollador. No se recomienda usar el destructor para operaciones sensibles con una temporalidad cualquiera.

El destructor tiene limitaciones y una sintaxis bastante particular:

- Retoma el nombre de la clase empezando por el símbolo «~».
- Solo se puede declarar una vez.
- No debe tener ningún parámetro.
- No tiene modificador de alcance.
- No se puede sobrecargar ni heredar.

Por ejemplo:

```
public class MiServicio
{
    ~MiServicio()
    {
            // poner aquí código de limpieza
    }
}
```

Observación

Sin entrar en los detalles del funcionamiento del algoritmo del garbage collector, no hay que crear un destructor si no hay una necesidad vinculada. De hecho, un constructor vacío es contraproducente para la limpieza de la memoria.

Un uso del destructor es limpiar recursos que han sido asignados y se gestionan manualmente (como zonas de memoria de intercambio con programas nativos). En la gran mayoría de los casos, su uso no es necesario.

2.3.2 IDisposable e IAsyncDisposable

Hay otro enfoque para describir la metodología de limpieza de la memoria en C#, y eso sin usar el destructor. Se trata del patrón descartable (*disposable pattern*).

Especialmente para eso se ha creado una interfaz en C#: `IDisposable`. Desde C# 8, también existe un equivalente asíncrono: `IAsyncDisposable`.

Implementar la interfaz `IDisposable`, que solo contiene un método, `Dispose`, permite declarar que el tipo dispone de un mecanismo de limpieza particular. A diferencia del destructor, se puede llamar a este mecanismo manualmente llamando directamente al método `Dispose`:

```
public class MiClaseDisposable : IDisposable
{
    public void Dispose() { ... }
}

public void Main()
{
    var c = new MiClaseDisposable();
    ...
    c.Dispose(); // limpieza de los recursos sostenidos
por MiClaseDisposable
}
```

Sin embargo, hay un riesgo de olvidar llamar al método `Dispose` al final del uso de la clase. Se puede usar una instrucción especial, que ya hemos visto en este libro, de tal manera que el compilador se encarga de llamar al método `Dispose` en nuestro lugar al final del uso. Esta instrucción retoma una palabra clave ya usada: `using`. La diferencia es que hay que ponerla en línea para indicar que se usa una clase de manera temporal. El método `Dispose` será llamado automáticamente al final de la llave de cierre de la instrucción `using`:

```
public void Main()
{
    using(var c = new MiClaseDisposable())
    {
    ...
    } // el método Dispose será llamado en este momento de la ejecución
}
```

C# 8 ha introducido una manera nueva de escribir las instrucciones `using`, de forma que sea el bloque de entrada el que defina su alcance y no las llaves de la instrucción `using`. Para hacerlo, ya no se usan los paréntesis ni las llaves después de la instrucción:

```
public void Main()
{
    using var c = new MiClaseDisposable(); // declaración
    ...
} // en este momento de la ejecución se llamará al método Dispose
```

2.4 Parámetros de métodos avanzados

2.4.1 Parámetro opcional

Puede suceder que se quiera dar un valor predeterminado a un parámetro para que el que realiza la llamada no esté obligado a proporcionar un valor. Esto devuelve de hecho el parámetro opcional en la llamada. Para hacerlo, solo hay que asignar un valor al parámetro durante su declaración:

```
public void DecirHola(string nombre, string apellido = "Mommer")
{
    Console.WriteLine("Hola " + nombre + " " + apellido);
}
```

Una vez efectuada esta declaración, el llamador ya no está obligado a especificar el segundo parámetro durante su llamada, incluso si eso sigue siendo posible:

```
DecirHola("Christophe"); // mostrará Hola Christophe Mommer
DecirHola("Juan", "Pérez"); // mostrará Hola Juan Pérez
```

Puede haber múltiples parámetros opcionales, pero se deben declarar obligatoriamente al final de la lista de los parámetros.

2.4.2 Palabras clave de parámetros

Cuando se pasa un parámetro a una función, hay que ser consciente de que el impacto puede ser distinto según el tipo de dato que se ha pasado. De hecho, pasar una referencia implica transmitir una información sencilla a una dirección de memoria. Por eso, si la función llamada modifica los datos situados en memoria, la función llamadora también ve su instancia modificada. Ya hemos visto estos conceptos en el capítulo Programación orientada a objetos, sección Conceptos avanzados - Los diferentes tipos de objetos.

Ya hemos visto que pasar un tipo de valor como parámetro daba como resultado una copia del valor en memoria, y eso tiene un coste en cuanto al rendimiento. Hay una palabra clave que permite indicar que no se quiere efectuar una copia, sino pasar una referencia hacia el valor interesado: `ref`.

Esta palabra clave un poco especial viene a unirse al parámetro durante la declaración de la firma del método, pero también durante la llamada. Al hacerlo, ya no se pasa una copia del tipo de valor, sino una referencia de memoria al lugar donde se encuentra el tipo de valor. Esto también supone que una modificación del valor dentro de la función llamada repercute en la función llamadora:

```
public void Increment(int i)
{
    i = i + 1;
}
public void IncrementByRef(ref int i)
{
    i = i + 1;
}
int i = 1;
Increment(i);
```

```
// i siempre valdrá 1 porque el valor se ha copiado
IncrementByRef(ref i);
// i valdrá 2 porque se ha pasado la referencia a la zona de memoria de
la función llamadora
```

Cuando una función ya devuelve un valor, no es fácil devolver un valor adicional. Por supuesto, siempre es posible crear un tipo nuevo (una clase o una estructura) y devolver una instancia nueva de este último, pero eso necesita una instanciación y la creación de un tipo nuevo.

Existe una palabra clave de parámetro que permite especificar que un parámetro recupere un valor de salida: `out`. Una de las funciones que usa esta palabra clave es, por ejemplo, la función `TryParse`. Esta última devuelve un booleano que indica si el valor de entrada ha podido ser convertido y, llegado el caso, el valor convertido corresponde al segundo parámetro, que es de tipo `out`. Siguiendo el ejemplo de la palabra clave `ref`, la palabra clave `out` se debe usar tanto a nivel de la firma como a nivel de la llamada. Imaginemos, por ejemplo, una función que devuelve los tres primeros caracteres de una cadena de caracteres solo si es posible. Se usa el patrón try, que implica devolver un booleano indicando si la operación ha tenido éxito y recuperar el valor mediante un parámetro `out` en segunda posición:

```
public bool DevolverTresPrimerosCaracteres(string cadena,
out string data)
{
    data = "";
    if(cadena.Length > 3)
    {
            data = cadena[..3]; // uso de los rangos
            return true;
    }
    return false;
}
string data = "";
if (DevolverTresPrimerosCaracteres("lolo", out data))
{
    System.Console.WriteLine(data);
}
```

Observación

A excepción de los usos extremadamente avanzados, un parámetro marcado con `out` debe estar asignado obligatoriamente antes de la salida de la función. Por eso, la primera instrucción de la función anterior define su valor en una cadena vacía.

C# 7 ha mejorado la escritura de la llamada de los métodos con una variable `out`, dando la posibilidad de declarar la variable directamente durante la llamada del método en lugar de tener que hacerlo antes (como en el ejemplo anterior). En este caso solo hay que colocar el tipo y el nombre del parámetro después de la palabra clave `out` durante la llamada:

```
if (DevolverTresPrimerosCaracteres("lolo", out string data))
{
    System.Console.WriteLine(data);
}
```

Se puede observar que también es posible usar la palabra clave `var` directamente; el compilador se encarga de sustituirla por el tipo correspondiente:

```
if (DevolverTresPrimerosCaracteres("lolo", out var data))
{
    System.Console.WriteLine(data);
}
```

Último modificador de parámetro, la palabra clave `in` permite garantizar que el parámetro que se ha pasado no se puede modificar directamente dentro de la función. Esto se puede considerar como un parámetro de solo lectura:

```
public void Increment(in int value)
{
    value = value + 1; // aquí, tendremos un error de compilación
a causa de la palabra clave en el parámetro
}
```

A diferencia de `ref` y de `out`, no es necesario añadir la palabra clave `in` durante la llamada del método.

Para concluir esta sección, las palabras clave `in` y `out` no se pueden usar en el caso de funciones asíncronas.

2.4.3 Denominación de parámetros

Hasta ahora, hemos trabajado sistemáticamente con los parámetros considerando su posición. Por ejemplo, con la siguiente función:

```
public void DecirHola(string nombre, string apellido)
{
    Console.WriteLine("Hola " + nombre + " " + apellido);
}
```

La llamada se hace de la siguiente manera:

```
DecirHola("Christophe", "Mommer");
```

En efecto, se considera que el primer parámetro es el nombre y el segundo el apellido, como describe la firma de función. Sin embargo, se puede cambiar el orden de estos parámetros, indicándole al compilador el valor que se desea dar a cada parámetro mediante el nombre de este último. Para hacerlo, el llamador debe usar el nombre del parámetro, seguido de dos puntos («:») y del valor deseado.

Así, se podría invertir el orden (o hacer la llamada más explícita en el caso anterior considerando que se trata de dos valores de tipo cadena de caracteres) de esta manera:

```
DecirHola(nombre: "Christophe", apellido: "Mommer");
```

Las últimas versiones fechadas de Visual Studio 2019 y 2022 bajo Windows muestran una etiqueta, en ausencia de especificación del nombre del parámetro, para hacer la lectura más fácil:

```
DecirHola(nombre: "Christophe", apellido: "Mommer");
```

Visualización de las etiquetas de nombre de parámetro mediante Visual Studio

Observación

Las etiquetas visuales propuestas por Visual Studio solo se presentan para facilitar la lectura y no ofrecen la misma función que los parámetros llamados.

2.4.4 Parámetros variables

Puede suceder que tengamos una función que necesite una cantidad de parámetros desconocida de antemano. En este caso, puede ser práctico usar una colección para recuperar el conjunto de los valores deseados. Sin embargo, el uso de una colección necesita la creación de un objeto nuevo, lo que tiene un impacto en la memoria de la aplicación, así como en la cantidad de código para escribir.

Hay una palabra clave reservada en C# que permite decir que se quiere tener un conjunto de parámetros «ilimitado». Usando esta última, los valores se generarán dentro de la función como una tabla, pero eso permitirá al llamador encadenar los parámetros directamente. Se trata de la palabra clave `params`.

Esta palabra clave se debe usar obligatoriamente como último parámetro de una función (después de los posibles parámetros opcionales) y solo se puede usar una vez. El tipo del parámetro debe ser una tabla del tipo deseado. Por ejemplo:

```
public void EnumerarCadenas(params string[] cadenas)
{
    foreach(var c in cadenas)
    {
            Console.WriteLine(c);
    }
}
```

2.5 Extensión del funcionamiento de un tipo

Cuando se define una clase, se definen sus datos y también su comportamiento. El lenguaje C# nos permite ampliar un tipo de diversas maneras para soportar usos avanzados. Así, por ejemplo, se puede añadir un método a una clase sin modificar la clase en cuestión, al igual que se puede definir el comportamiento que adoptarán los operadores (como, por ejemplo, + o incluso ==).

2.5.1 Métodos de extensión

Cuando se ha definido un tipo, no está bajo nuestro control y no se puede modificar directamente (como un tipo del framework .NET, por ejemplo), no se puede añadir un método nuevo directamente para generar un comportamiento nuevo. Afortunadamente, el lenguaje C# permite ampliar de manera natural un tipo para añadir métodos en este último, como si fueran métodos que formaran parte: son los métodos de extensión.

Un método de extensión sigue un formalismo particular:

- Debe ser estático.
- Debe estar definido en una clase estática.
- Su primer parámetro debe ser el tipo que se quiere ampliar, y el parámetro se debe prefijar mediante la palabra clave `this`.

A excepción de unas pocas normas, es completamente posible tener un tipo de devolución cualquiera y tantos parámetros como se quiera.

Por ejemplo, para ilustrar eso imaginemos que queremos añadir un método en la clase `String` que añade una «s» al final de la cadena (con la intención de poner la cadena en plural, obviamente esta norma está muy simplificada).

Considerando que la clase `String` es inmutable (es decir, que no se puede modificar), hay que devolver una instancia nueva de cadena. No hay parámetros específicos para tomar. Así, el método se puede escribir de la siguiente manera:

```
public static class StringExtensiones
{
    public static string Pluriel(this string value)
    {
          if(!value.EndsWith("s"))
          {
                return value + "s";
          }
          return value;
    }
}
```

Una vez definido este método, se puede (a condición de estar en el mismo espacio de nombres o de importar aquel donde se ha definido el método) usar el método de extensión como si fuera un método de la clase `string` directamente:

```
string valor1 = "tomate";
string valor2 = "patatas";
Console.WriteLine(valor1.Plural()); // mostrará tomates
Console.WriteLine(valor2.Plural()); // mostrará patatas
```

En la actualidad, con el mecanismo de extensión solo es posible añadir métodos.

2.5.2 Definición de los operadores

Hay diversos operadores en C#, y nosotros hemos usados muchos en este libro. Por ejemplo, el operador de igualdad (==), o incluso el operador de suma (+) que, en el caso de una instancia de `String`, es una concatenación.

Esta posibilidad de definir un comportamiento distinto entre la clase `int` y la clase `string` para el mismo operador (+) se debe a que el lenguaje C# permite redefinir, para una clase, el comportamiento que se mantendrá para un operador dado.

De manera predeterminada, la igualdad (==) comprueba la similitud de las referencias de objeto en memoria. Así, dos objetos se consideran iguales si sus referencias son iguales. Pero a veces se quiere ir más lejos que una comparación de referencias y comparar los valores internos.

Vamos a tomar el ejemplo de una clase que define un valor monetario:

```
public class Money
{
    public decimal Amount { get; }
    public string Currency { get; }
    public Money(decimal amount, string currency)
    {
        Amount = amount;
        Currency = currency;
    }
}
```

Por ejemplo, con esta definición se pueden crear billetes de cinco y de diez euros:

```
var cincoEuros = new Money(5, "EUR");
var diezEuros = new Money(10, "EUR");
```

Ahora, si se quiere comparar dos billetes de diez euros, queremos que la comparación no se haga a nivel de la referencia de memoria, que nos importa poco, sino a nivel del valor. La manera de proceder por defecto sería esta:

```
var diezEuros2 = new Money(10, "EUR");
if(diezEuros.Amount == diezEuros2.Amount && diezEuros.Currency ==
diezEuros2.Currency) ...
```

Reconocemos que el código es redundante y no especialmente práctico, sobre todo porque aquí solo tenemos dos campos para comprobar.

La primera etapa para alcanzar nuestro objetivo será redefinir el método `Equals`, que procede de la herencia de la clase `Object`:

```
public class Money
{
    ...
    public override bool Equals(object other)
    {
        if(other is Money m)
        {
            return m.Amount == Amount && m.Currency == Currency;
        }
        return false;
    }
}
```

Gracias a esta redefinición, se puede simplificar la prueba anterior sustituyendo la comparación por la llamada al método `Equals`:

```
if(diezEuros.Equals(diezEuros2)) ...
```

Es mejor, pero todavía no se beneficia de la posibilidad de tener el operador ==, que es el reflejo de los programadores que quieren probar la igualdad.

Para definir un operador en C#, se necesita una sintaxis un poco especial. En efecto, la sobrecarga de un operador no usa la palabra clave `override`. En lugar de eso, es preferible definir un método estático y usar la palabra clave reservada `operador`, directamente seguido del símbolo correspondiente al operador que se quiere redefinir. El resto de la función se comporta de manera normal. Para definir el operador == en nuestra clase `Money`, el código sería el siguiente:

```
public class Money
{
    ...
    public static bool operator ==(Money m1, Money m2)
    {
           return m1.Equals(m2);
    }
}
```

Se puede observar que redefinir el operador == también necesita redefinir `!=`; el compilador nos lo indicará mostrando un error de compilación:

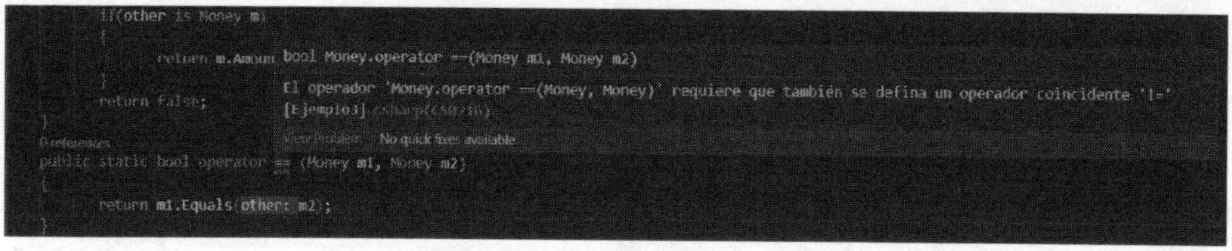

Error de compilación en ausencia de redefinición del operador !=

El código de este operador es muy sencillo: se puede hacer el inverso del == o invertir el resultado de la llamada a `Equals`:

```
public static bool operator !=(Money m1, Money m2)
{
    return !m1.Equals(m2);
}
```

Siguiendo esta misma lógica, es bastante sencillo prever también el operador de suma, que acumula el valor de dos instancias y devuelve una nueva:

```
public static Money operator +(Money m1, Money m2)
{
    if (m1.Currency != m2.Currency)
    {
        throw new InvalidOperationException("Solo es posible
sumar dos valores monetarios si son de
la misma moneda");
    }
    return new Money(m1.Amount + m2.Amount, m1.Currency);
}
```

2.6 Tuplas y deconstrucción

El concepto de tupla existe desde hace mucho tiempo dentro del framework .NET (ver la clase `System.Tuple`, presente desde la versión 4 del framework). Sin embargo, la llegada de C# 7 no solo ha simplificado la escritura de tuplas, sino también ha hecho que todo sea más eficiente. En efecto, el tipo subyacente no es `System.Tuple`, sino `System.ValueTuple`, lo que indica que se usa a partir de un tipo de valor en lugar de un tipo de referencia. Además, este tipo nuevo permite hacer la deconstrucción de clase.

2.6.1 Las tuplas en C# 7

Cuando un método debe devolver más de un valor, no hay muchas soluciones:

- Se usan los parámetros accesibles en modo de escritura (`ref` y `out`), pero esto no es posible para los métodos asíncronos.
- Se crea un tipo (estructura o clase) destinado a contener los valores que se devuelven.
- Se usa una clase genérica del framework para alojar los datos.

Esta última opción es la más flexible. Sin embargo, antes de C# 7 no era la más accesible ni la más fácil.

La versión 7 aporta una facilidad de escritura que permite crear una tupla mediante simples paréntesis:

```
var tupla = (42, "Christophe Mommer");
```

En el código de arriba, la variable `tupla` contiene una tupla definida mediante dos datos: un entero primero y una cadena de caracteres en segundo lugar. Una vez creada la variable, se puede acceder a los valores gracias a las propiedades `ItemX`, donde `X` representa la posición del elemento en la declaración. Así, para acceder al entero, que es el primero, se usa la propiedad `Item1`:

```
Console.WriteLine(tupla.Item1);
```

Aunque la hemos usado como una variable local, es completamente posible usar una tupla como tipo de retorno. Entonces se recurre a una escritura declarativa, indicando cuál es el tipo de cada propiedad, sin dar valor:

```
public (int, string) GetData()
{
    return (42, "Christophe Mommer");
}
```

Se puede almacenar el valor de esta llamada dentro de una variable para usarlo. Este planteamiento se escribe y se lee con facilidad, y dispone de una mejora que permite leer el código aún más fácilmente: la denominación. En efecto, aquí, para acceder a los valores, se usa `Item1` y `Item2`, lo que no da muchas indicaciones.

Se pueden nombrar las partes de una tupla dentro de su declaración:

```
public (int Numero, string Nombre) GetData()
{
    return (42, "Christophe Mommer");
}
var t = GetData();
Console.WriteLine(t.Numero);
Console.WriteLine(t.Nombre);
```

Esta pequeña mejora permite tener nombres de propiedades mucho más elocuentes que los predeterminados, incluso si, de manera subyacente, siempre se usan `Item1` e `Item2` (esta denominación solo es visible para el programador dentro de su entorno de trabajo).

Una tupla se puede deconstruir. En el ejemplo anterior, hemos recuperado una variable local, llamada `t`, desde la que después hemos extraído los valores `Numero` y `Nombre` accediendo a las propiedades interesadas. Gracias a una compatibilidad del lenguaje, se pueden obtener directamente variables tipadas que corresponden a los elementos de la tupla:

```
(int numero, string nombre) = GetData();
Console.WriteLine(numero);
Console.WriteLine(nombre);
```

Este concepto también se puede simplificar usando `var`:

```
var (numero, nombre) = GetData();
Console.WriteLine(numero);
Console.WriteLine(nombre);
```

Esta operación se llama deconstrucción porque se extraen valores de un tipo para almacenarlos en las variables unitarias.

2.6.2 Deconstrucción de tipo

La deconstrucción no está reservada a las tuplas y cualquier tipo puede aprovecharla si respeta las formalidades necesarias.

Para deconstruir un tipo, primero hay que definir cuáles son los datos que se quiere extraer de manera unitaria. Por ejemplo, tomemos una clase `Persona`:

```
public class Persona
{
    public string Nombre { get; set; }
    public string Apellido { get; set; }
    public DateTime FechaDeNacimiento { get; set; }
}
```

Aquí consideramos que la identidad de la persona es útil de manera unitaria; por eso solo seleccionamos los dos datos `Nombre` y `Apellido`.

Para que el tipo pueda ser deconstruido, hay que crear un método llamado `Deconstruct`, que tiene los parámetros necesarios para la deconstrucción; estos últimos están marcados con `out`:

```
public class Persona
{
    public string Nombre { get; set; }
    public string Apellido { get; set; }
    public DateTime FechaDeNacimiento { get; set; }

    public void Deconstruct(out string nombre, out string Apellido)
    {
            nombre = Nombre;
            apellido = Apellido;
    }
}
```

Una vez implementado este método, se puede usar la misma sintaxis que la deconstrucción de tupla en una instancia de la clase `Persona`:

```
var p = new Persona { Nombre = "Christophe", Apellido = "Mommer" };
var (nombre, apellido) = p; // fase de deconstrucción, extracción
del nombre y del apellido en variables locales
```

Observación

Un tipo puede contener varios métodos `Deconstruct`, pero la firma debe ser única, es decir, que no es posible tener dos métodos `Deconstruct` con el mismo número de parámetros del mismo tipo.

Podemos usar discard (representado por el carácter guion bajo _) para omitir un valor que no nos interesa en la operación de deconstrucción. Por ejemplo, si solo se quiere recuperar el apellido, se escribe:

```
var p = new Persona { Nombre = "Christophe", Apellido = "Mommer" };
var (_, apellido) = p; // solo tendremos una variable local
llamada apellido
```

Por último, en ausencia de la posibilidad de modificar el tipo interesado para añadir un método de deconstrucción, se puede crear un método de deconstrucción mediante un método de extensión. Para hacer esto, la lógica es completamente similar:

- El método debe ser `static`, dentro de una clase estática dedicada (como cualquier método de extensión).
- Debe devolver `void` y llamarse `Deconstruct`.
- Los parámetros deben ser de tipo `out`.

Por ejemplo, se usa el siguiente código para deconstruir una instancia de la clase `DateTime`:

```
public static class DateTimeExtensions
{
    public static void Deconstruct(this DateTime date, out int
jour, out int mes, out int ano)
    {
        dia = date.Day;
        mes = date.Month;
        ano = date.Year;
    }
}

DateTime d = new DateTime(1988, 12, 18);
var (dia, mes, ano) = d;
```

2.7 Función local

Desde C# 7, se puede crear una función local respecto a otra, es decir, no visible y no utilizable por otra función de la misma clase. La ventaja de este planteamiento es que una función de este tipo permite poner código en común sin el riesgo de que se use de una manera distinta a la prevista.

Una función local difiere ligeramente de una función clásica en el sentido de que no existe el concepto de alcance. Así, la firma sin alcance y el cuerpo de la función local se declara directamente dentro del cuerpo de la función.

```
public void Recibir()
{
    void DecirHola(string nombre, string apellido)
    {
        Console.WriteLine("Hola " + nombre + " " + apellido);
    }

    Console.WriteLine("Bienvenido jugador 1, escriba su nombre
y su apellido");
    var nombre1 = Console.ReadLine();
    var apellido1 = Console.ReadLine();
    DecirHola(nombre1, apellido1);

    Console.WriteLine("Bienvenido jugador 2, escriba su nombre
y su apellido");
    var nombre2 = Console.ReadLine();
    var apellido2 = Console.ReadLine();
    DecirHola(nombre2, apellido2);
}
```

En el bloque de código de arriba, la función `DecirHola` es una función local de la función `Recibir`. En efecto, el código que sirve para decir hola se puede poner en común y recuperarse. Incluso habríamos podido ir más lejos y hacer otra función local que recupera la información de los jugadores mediante una tupla, como acabamos de ver:

```
public void Recibir()
{
    void DecirHola(string nombre, string apellido)
    {
        Console.WriteLine("Hola " + nombre + " " + apellido);
```

```
    }
    (string, string) RecuperarInformacion(int numJugador)
    {
        Console.WriteLine($"Bienvenido jugador {numJugador},
escriba su nombre y su apellido");
        var nombre = Console.ReadLine();
        var apellido = Console.ReadLine();
        return (nombre, apellido);
    }
    var (nombre1, apellido1) = RecuperarInformacion(1);
    DecirHola(nombre1, apellido1);
    var (nombre2, apellido2) = RecuperarInformacion(2);
    DecirHola(nombre2, apellido2);
}
```

De manera predeterminada, una función local tiene acceso a los valores de la función que aloja. Sin embargo, se puede definir una función local como estática para ganar en rendimiento, pero entonces el acceso a los valores se vuelve imposible. En el caso presentado arriba, podemos hacer de manera que nuestras dos funciones locales sean estáticas. Esto solo es posible desde C# 8. Entonces solo hay que añadir la palabra clave `static` delante de la firma de la función local:

```
public void Recibir()
{
    static void DecirHola(string nombre, string apellido)
    {
        Console.WriteLine("Hola " + nombre + " " + apellido);
    }
    static (string, string) RecuperarInformacion(int numJugador)
    {
        Console.WriteLine($"Bienvenido jugador {numJugador},
escriba su nombre y su apellido");
        var nombre = Console.ReadLine();
        var apellido = Console.ReadLine();
        return (nombre, apellido);
    }
    var (nombre1, apellido1) = RecuperarInformacion(1);
    DecirHola(nombre1, apellido1);
    var (nombre2, apellido2) = RecuperarInformacion(2);
    DecirHola(nombre2, apellido2);
}
```

Observación

De ahora en adelante, este planteamiento es ampliamente usando con las plantillas nuevas ofrecidas por .NET 6. A lo largo de los capítulos anteriores, hemos tenido la ocasión de practicar la plantilla nueva para las aplicaciones de consola, que consiste en escribir el código directamente en la raíz del archivo cuando este está inyectado en la función `Main` *de la clase* `Program`*. Se puede escribir código, pero también funciones que, de hecho, son funciones locales, como acabamos de ver, porque estas funciones en realidad están definidas dentro de la función* `Main`*.*

Capítulo 8
Crear aplicaciones

1. Aplicación web

La ventaja del lenguaje C# es que permite realizar un amplio grupo de aplicaciones. Entre ellas, las que están más de moda son las aplicaciones web. En este capítulo, vamos a ver el conjunto de las aplicaciones que se pueden crear con C#.

Las aplicaciones web se dividen en dos grandes categorías:

- Las aplicaciones web gráficas, donde hay una interacción con el usuario.
- Las aplicaciones web de backend, que se encargan de tratar datos.

1.1 Aplicaciones web gráficas

Dentro de la categoría de las aplicaciones web gráficas, hay dos tipos de proyectos: un sitio ASP.NET y una aplicación Blazor. La diferencia entre las dos reside en el concepto de dinamismo y de capacidad de reacción. Blazor permite realizar aplicaciones SPA (*Single Page Application*), mientras que ASP.NET permite realizar sitios web clásicos.

ASP.NET es la solución que permite crear sitios web clásicos. Usa una sintaxis de creación de las vistas que permite mezclar HTML y C# llamada Razor. Hay dos variantes para realizar aplicaciones ASP.NET:

- ASP.NET MVC: usa el patrón MVC (Modelo Vista Controlador), que permite usar una arquitectura probada y robusta, pero más restrictiva para implantar.
- ASP.NET Razor Pages: permite realizar páginas autónomas, más sencilla.

Para crear una aplicación ASP.NET, siga estos pasos:

- Abra un terminal nuevo en Visual Studio Code.
- Si quiere recurrir a ASP.NET MVC, use el comando `dotnet new mvc`.
- Si quiere recurrir a ASP.NET Razor Pages, use el comando `dotnet new webapp`.

Empezaremos por explorar rápidamente una aplicación ASP.NET MVC.

1.1.1 ASP.NET MVC

Una vez ejecutado el comando, se han generado algunos archivos y carpetas. Sin entrar en detalles, encontramos tres carpetas correspondientes al patrón MVC: **Models**, **Views** y **Controllers**.

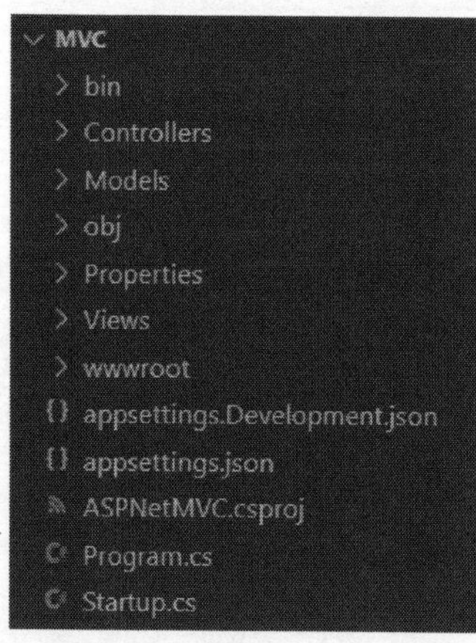

Lista de los archivos y carpetas generados

El funcionamiento de un sitio ASP.NET MVC es bastante sencillo. Cuando un usuario elige acceder a una página dada, el motor de enrutamiento analiza la URL introducida y observa qué controlador responde a esta última. Para funcionar, se basa en un patrón (*pattern*) definido en el archivo Startup.cs, a nivel del método `Configure`, mediante la llamada del método `UseEndpoints`:

```
app.UseEndpoints(endpoints =>
{
    endpoints.MapControllerRoute(
        name: "default",
        pattern: "{controller=Home}/{action=Index}/{id?}");
});
```

Sin analizar la totalidad del funcionamiento, se ve que una URL debe respetar ciertas formalidades, que permiten a ASP.NET determinar a dónde enviar la consulta. La primera parte corresponde al nombre del controlador, la segunda corresponde a la acción y la última corresponde a un posible parámetro de identificador.

Ahora observamos un controlador y abrimos el archivo HomeController dentro de la carpeta **Controllers**. Se ve que este archivo contiene un conjunto de métodos que devuelve una instancia `IActionResult`. Cada uno de los métodos del controlador se llama una acción (se trata de la segunda parte de la URL). También se puede observar que ASP.NET omite el sufijo `Controller` durante el análisis de la URL. Esto quiere decir que, si desea crear un controlador nuevo, hay que seguir estos pasos:

- Cree una clase nueva que hereda de la clase básica `Controller`.
- Llame a esta clase como usted quiera, poniendo el sufijo `Controller`. Por ejemplo, si queremos llamar a nuestro controlador `MiControlador`, el nombre de la clase es `MiControladorController`.

Dentro de este controlador nuevo, creamos una acción nueva:

```
public IActionResult NuevaPagina()
{
    return View();
}
```

Esta acción se llama `NuevaPagina`, lo que quiere decir que es accesible mediante la URL: MiControlador/NuevaPagina. Sin embargo, se ve que el método `NuevaPagina` devuelve la llamada a un método de la clase básica: `View`. Este método permite devolver la vista asociada a esta acción.

Las vistas se almacenan dentro de la carpeta Views. En esta carpeta se encuentran subcarpetas (cada una corresponde al controlador interesado) para que ASP.NET pueda encontrar la vista correspondiente por convención. Así, dentro de la carpeta Home ya presente se encuentran todas las vistas vinculadas al controlador HomeController. Haciendo un análisis se puede comprobar que cada archivo de vista (que es un archivo cshtml) se nombra según una acción.

Así, para simplificar, con el propósito de que un controlador pueda mostrar una vista dada, ASP.NET va a buscar una vista que tenga el nombre de la acción solicitada (si la acción devuelve la llamada al método `View`) dentro de la subcarpeta nombrada según el controlador, a su vez dentro de la carpeta **Views**.

Entonces creamos nuestra vista correspondiente a la acción que hemos creado antes:

Jerarquía de la página correspondiente a la acción NuevaPagina

Este archivo tiene una extensión un poco particular, .cshtml, correspondiente a la concatenación de los archivos C# (.cs) y de los archivos HTML (.html). Por ejemplo, dentro de este archivo podemos escribir el siguiente código HTML:

```
<h1>¡Hola desde mi página nueva!</h1>
```

Si ejecutamos nuestra aplicación con ayuda del comando `dotnet run` en el terminal, la runtime .NET nos indica que el sitio es accesible en la URL http://localhost:5000 (o https://localhost:5001, según el caso). Si vamos a nuestro navegador y cambiamos la URL http://localhost:5000 por http://localhost:5000/MiControlador/NuevaPagina, llegamos a nuestra página con nuestro código HTML:

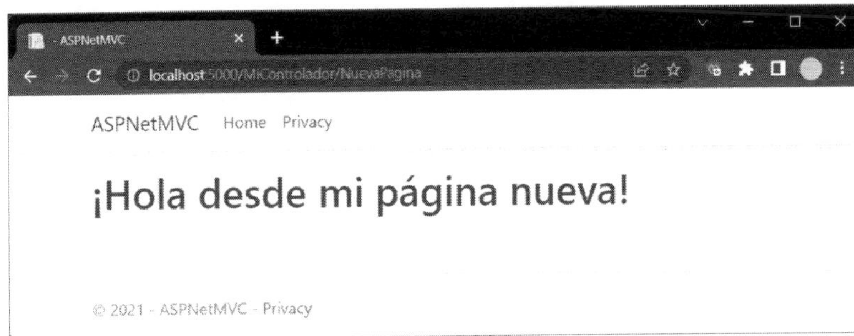

Visualización de nuestra página nueva en nuestro controlador

El último concepto que todavía no hemos explorado en esta sección es la idea de modelo. Un modelo es una clase sencilla que permite hacer transitar datos desde el controlador hacia la vista y viceversa. Una vez creada esta instancia de clase, solo hay que pasarla como parámetro en el método `View` para que el modelo se envíe a la vista.

Creamos una clase nueva de modelo para almacenar nuestros datos, que guardaremos en la carpeta **Models** (no es necesario, pero sí útil para respetar la convención):

```
public class MiModelo
{
    public string Data { get; set; }
}
```

Como podemos comprobar, un modelo es una clase sencilla que almacena un dato accesible en modo de lectura y de escritura. Por eso, modificamos ligeramente nuestra acción `NuevaPagina` para crear una instancia nueva de este modelo y pasarla a la vista:

```
public IActionResult NuevaPagina()
{
    var model = new MiModelo();
    model.Data = "desde el controlador";
    return View(model);
}
```

Una vez efectuada esta modificación, la vista recibe la instancia de la clase y puede usarla. Para eso, hay que modificar la vista:

- a fin de indicarle qué tipo de modelo de recibe;
- a fin de usar el modelo en C#.

Para hacerlo, hay que modificar el código de la vista de la siguiente manera:

- Añada una instrucción en el encabezado de vista indicando el tipo de la clase que corresponde al modelo de esta vista. Esta instrucción empieza por `@model` seguida del tipo.
- Use el valor del modelo gracias a la instrucción `@Model` (atención a la M mayúscula, a diferencia de la primera instrucción declarativa) para acceder a los datos contenidos en la instancia.

Modificando el código de la vista, se obtiene esto:

```
@model MiModelo

<h1>¡Hola desde mi página nueva!</h1>
<p>Valor recibido: @Model.Data</p>
```

Al ejecutar la aplicación y navegando en nuestra página, podemos ver que se muestra el valor enviado desde el controlador:

Visualización de una página usando un modelo

Hemos visto cómo crear un sitio ASP.NET MVC, cómo crear un controlador nuevo, una acción nueva y la vista asociada. Por supuesto, hay mucho más por descubrir en ASP.NET MVC: esto solo es una visión general.

Ahora vamos a ver otra manera de realizar sitios web en C#, con ASP.NET Razor Pages.

1.1.2 ASP.NET Razor Pages

Acabamos de ver el patrón MVC, que impone una arquitectura propia pero restrictiva. En efecto, para crear una página nueva, hay que crear dos elementos como mínimo (el controlador y la vista) y, generalmente, también un tercero, el modelo.

ASP.NET Razor Pages permite paliar esto y realizar páginas con mucha rapidez creando simplemente el archivo de vista. Para el código C# de interacción, se puede crear una clase asociada (pero si no se necesita, no hay que hacerlo).

Una vez creada la aplicación con el comando `dotnet new webapp`, se puede ver que la estructura no es la misma:

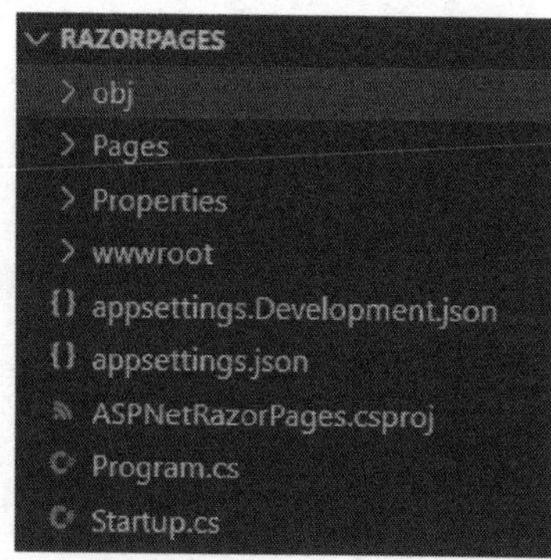

Listing de los archivos de una aplicación Razor Pages

Se puede observar que las carpetas **Controllers**, **Models** y **Views** han dejado su lugar a una única carpeta, llamada **Pages**. Abriendo esta última, se puede ver que los archivos presentes en el interior se parecen a los que se encontraban en el directorio **Views** de la aplicación ASP.NET MVC, con la diferencia de que, para cada archivo cshtml, también existe un archivo cs asociado. Por ejemplo, tenemos el archivo index.cshtml y el archivo index.cshtml.cs. Para describir este último, que es un archivo C#, se habla del archivo de código subyacente porque contiene el código asociado a la página que permite reaccionar a ciertas etapas del ciclo vital.

Al contrario de ASP.NET MVC aquí solo es necesario crear un archivo cshtml para realizar una página nueva. Vamos a diseñar nuestra página nueva creando un archivo NuevaPagina.cshtml y un archivo NuevaPagina.cshtmlcs dentro de la carpeta Pages.

El archivo cshtml contiene ciertas instrucciones de encabezado distintas de lo que se ha visto para ASP.NET MVC.

En primer lugar, allí se encuentra la instrucción `@page`, posiblemente seguida entre comillas de una ruta a partir de la que se puede llegar a esta página. Entonces, el desarrollador define la URL explícitamente en la página interesada y no basada en una convención analizada por el motor de enrutamiento de ASP.NET MVC. Aquí, se dice que se puede acceder a nuestra página nueva en la URL `/new`; entonces, la instrucción en el encabezado del archivo es:

```
@page "/new"
```

Encontramos la instrucción `@model`, pero esta última no permite definir el modelo en el sentido MVC, sino el tipo correspondiente a la clase que servirá de código subyacente. Se trata de la clase que hemos creado. Esta clase debe heredar de la clase básica `PageModel`; así, el contenido del archivo NuevaPagina.cshtml.cs es el siguiente:

```
using Microsoft.AspNetCore.Mvc.RazorPages;

namespace ASPNetRazorPages.Pages
{
    public class NuevaPageModel : PageModel
    {
    }
}
```

Entonces podemos añadir la instrucción `@model` en el encabezado de nuestro archivo cshtml:

```
@model NuevaPageModel
```

Ahora escribimos código HTML en nuestra nueva página, de manera que el contenido total de la página sea equivalente a este:

```
@page "/new"
@model NuevaPageModel

<h1>¡Hola desde la página nueva!</h1>
```

Lanzando nuestra aplicación con el comando `dotnet run` y navegando a la URL http://localhost:5000/new (o https://localhost:5001/new), tenemos que llegar a nuestra nueva página:

Visualización de la página nueva

El planteamiento Razor Pages con código subyacente también permite tener código C# para gestionar datos mediante programación. Así, nuestra clase `NuevaPageModel` permite alojar datos que la página cshtml podrá gestionar. Para demostrarlo, creamos una propiedad de tipo `string` en nuestro modelo:

```
public string Date { get; set; }
```

Esta propiedad está alimentada desde que se navega en la página. Para eso, se usa el método `OnGet` a fin de poner en la propiedad `Date` la fecha actual:

```
public void OnGet()
{
    Date = System.DateTime.Now.ToString();
}
```

Observación

El método `OnGet` forma parte del conjunto de los métodos convencionales accesibles en una clase que hereda de `PageModel` en el marco de las Razor Pages. Hay dos métodos por verbo HTTP (Get, Post, Put, etc.): una versión síncrona (como `OnGet`) y una versión asíncrona (como `OnGetAsync`).

Nuestra propiedad es accesible públicamente en modo de lectura y escritura; por eso se puede usar en la vista para mostrarla con la sintaxis Razor, añadiendo el siguiente código al final del archivo cshtml:

```
<p>Hoy es @Model.Date</p>
```

Cuando se ejecuta la aplicación y se navega en la página, se muestra la fecha que se ha calculado en el acceso de esta:

Visualización de la página con una fecha calculada

Se ha comprobado que es más rápido crear una aplicación web con páginas sencillas usando ASP.NET Razor Pages. Esta sencillez también tiene un coste: cuando el sitio empieza a ser cada vez más grande, es más complicado conservar una arquitectura limpia que con el patrón MVC. Pero ASP.NET Razor Pages resulta muy útil para crear un sitio web con rapidez disfrutando de un planteamiento más fácil.

Sin embargo, ASP.NET MVC y ASP.NET Razor Pages no ofrecen ningún medio de ser muy dinámico sin usar el lenguaje JavaScript. No obstante, hay una alternativa: Blazor.

1.1.3 Blazor

Ya sea con ASP.NET MVC o ASP.NET Razor Pages, el funcionamiento sigue la misma lógica: cada petición de navegación se traduce en una navegación HTTP que necesita cargar todos los recursos del destino deseado. La emergencia de las SPA (*Single Page Application*) en JavaScript, que permite cargar únicamente lo que ha cambiado en la página, ha impulsado un nuevo uso de las aplicaciones web. Para este uso no había soluciones en C# antes de la llegada de Blazor.

Blazor, que existe en dos variantes de aplicaciones distintas, permite realizar SPA, con la diferencia de que el programador no necesita usar JavaScript. Hay una variante que se basa en gran medida en el servidor para operar las transformaciones (Blazor Server) y una variante que usa un tipo de aplicación nuevo en el mundo de la web, Blazor WebAssembly.

Existe un conjunto importante de diferencias en las limitaciones de cada una de las versiones, pero la realización de componentes (que es el núcleo de una aplicación Blazor y que corresponde a un fragmento de página) sigue siendo similar a nivel global. Por eso, aquí vamos a ver un ejemplo en WebAssembly.

Para crear una aplicación nueva Blazor WebAssembly, usamos el comando `dotnet new blazorwasm`.

Después de abrir el proyecto en Visual Studio Code, se encuentra una jerarquía bastante similar a lo que ya se ha visto con ASP.NET Razor Pages:

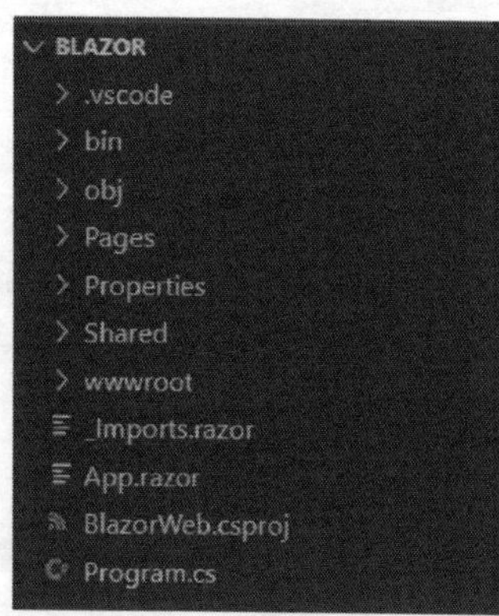

Jerarquía de los archivos de una aplicación Blazor WebAssembly

La carpeta **Pages** contiene el conjunto de los componentes de nuestra aplicación Blazor. Un componente puede ser de dos tipos distintos:

- Un componente enrutable, es decir, equivalente a una página, porque se puede acceder a él mediante un dato URL.
- Un componente integrado, que ofrece una gran capacidad de reutilización, pero al que no se puede acceder directamente.

En la carpeta Pages de nuestra aplicación Blazor WebAssembly, solo tenemos componentes enrutables. Estos últimos se distinguen debido a la presencia de la instrucción `@page` en el encabezado del archivo de código.

Los componentes Blazor retoman la sintaxis Razor, que permite mezclar C# dentro del código HTML. La diferencia principal del planteamiento de Blazor es la posibilidad de crear código C# para añadir dinamismo y reaccionar ante los eventos en elementos HTML, algo que antes solo era posible mediante JavaScript.

Por ejemplo, dentro del componente Counter.razor situado dentro de la carpeta Pages, se puede comprobar que hay un botón y que si tiene lugar el evento clic se llama a una función C#. Este planteamiento permite actuar frente a casi todos los eventos existentes. El código C# que sustituye al código JavaScript se debe colocar dentro de una etiqueta Razor específica al final del archivo: `@code { }`.

Para experimentar un poco esta tecnología, creamos un componente Razor nuevo que se llama Reloj.razor.

Dentro de este componente, creamos un reloj que se actualiza cada segundo; de esta manera podemos usar nuestros conocimientos de C# para aportar dinamismo.

Para que este componente pueda mostrar la hora actual, se necesita una propiedad de `DateTime` que se mostrará dentro del código HTML:

```
@page "/reloj"

<h1>¡Hola!</h1>
<p>Es @Date</p>

@code {
```

```
    private DateTime Date { get; set; } = DateTime.Now;
}
```

Para navegar en este componente sin tener que refrescar toda la página, hay que añadir un elemento en el menú que se encuentra dentro del componente NavMenu.razor, a su vez dentro de la carpeta Shared de la aplicación. El código HTML se añade a continuación de las otras etiquetas `<li>` ya existentes:

```
        <li class="nav-item px-3">
            <NavLink class="nav-link" href="reloj">
                <span class="oi oi-list-rich" aria-hidden="true">
</span> Reloj
            </NavLink>
        </li>
```

Si lanzamos nuestra aplicación con el comando `dotnet.run` y navegamos por nuestro componente mediante el menú, vemos que la fecha se muestra, pero no está actualizada. En efecto, no hay un refresco automático del valor.

Para que eso funcione, hay que conectarse en una etapa específica del ciclo de vida del componente (cuando se inicializa el componente) para implantar el código de actualización de la propiedad `Date` cada segundo. Blazor pone a nuestra disposición un conjunto de puntos de entrada en el ciclo de vida que no vamos a describir en este libro; para nuestras necesidades actuales usaremos el método `OnInitialized`.

En este último, actualizaremos nuestro componente de manera regular cada dos segundos. Sin embargo, no podemos olvidar un pequeño detalle: Blazor es un framework gráfico y, por eso, hay un thread dedicado que tiene todos los objetos gráficos. Hay que pedirle a este thread que actualice los elementos de interfaz porque los otros threads no pueden hacerlo debido a que no son propietarios de los objetos gráficos. Para realizar esta operación usamos el método `InvokeAsync`.

Además, para notificarle a Blazor que la operación realizada ha modificado el estado y que se tiene calcular la devolución, usamos el método `StateHasChanged`. Por último, para que esto no bloquee el thread gráfico, lanzaremos este bucle infinito de actualización del reloj dentro de una tarea dedicada que se ejecuta en segundo plano gracias al método `Thread.Run`. El código completo de nuestro componente de reloj es el siguiente:

```
@page "/reloj"

<h1>¡Hola!</h1>
<p>Es @Date</p>

@code {
    private DateTime Date { get; set; } = DateTime.Now;

    protected override void OnInitialized()
    {
        Task.Run(async () =>
        {
            while (true)
            {
                await InvokeAsync(() => Date = DateTime.Now);
                StateHasChanged();
                await Task.Delay(1000);
            }
        });
    }
}
```

Ahora, cuando navegamos hacia nuestro componente reloj, podemos ver avanzar el tiempo de segundo en segundo de manera efectiva.

Por lo tanto, hemos hecho un reloj web que se actualiza cada segundo sin usar una única línea de código JavaScript.

1.2 API

Hasta ahora, solo hemos explorado las aplicaciones web desde el punto de vista de las aplicaciones gráficas. Sin embargo, cada vez se crean más aplicaciones separando la parte gráfica (llamada front-end) de la parte de actividad (llamada back-end). Esta separación se puede hacer creando aplicaciones especiales, llamadas API. Estas últimas no proporcionan ninguna interfaz gráfica (aunque no lo impone ninguna limitación técnica, se trata sobre todo de una elección de arquitectura), pero ofrecen puntos de entrada (endpoints) que permiten acceder a funcionalidades de actividad, así como a los datos almacenados en el servidor.

ASP.NET ofrece un tipo de proyecto, llamado ASP.NET WebApi, que permite realizar API con ese fin. Para crear una API nueva, usamos el comando `dotnet new webapi`.

Cuando se explora el contenido de este proyecto nuevo, rápidamente nos damos cuenta de las semejanzas con un proyecto de tipo ASP.NET MVC:

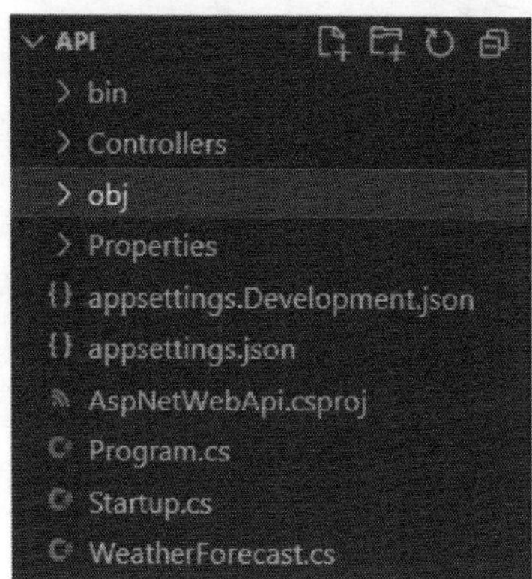

Archivos de una aplicación ASP.NET WebAPI

En efecto, no hay vistas para una aplicación de tipo API, dado que su único objetivo es ofrecer endpoints técnicos para gestionar datos. Esto pasa por la intervención de los controladores. Tampoco hay modelos; estos últimos están en el patrón MVC que se usa para hacer transitar información hacia la vista desde el controlador y viceversa. Sin embargo, es completamente posible crear modelos que se usarán para ser serializados en la entrada y en la salida de una API.

Si se presta un poco más de atención al controlador generado, se puede comprobar que es un poco distinto de un controlador ASP.NET MVC. Un controlador MVC debe contener los métodos para devolver vistas, algo que no tiene que hacer un controlador de API. Por eso un controlador de API hereda de la clase `ControllerBase` y está adornado con un atributo `ApiController`.

De la misma manera, al contrario de MVC, una API dispone de rutas que pueden ser diversas y variadas, según el paradigma reservado (de manera predeterminada, estamos en un planteamiento REST). Aquí, se ha elegido adornar cada controlador de API con un atributo `Route` que permite definir en qué URL está disponible este último. Por último, se comprueba que el único método disponible, `Get`, es similar al nombre del verbo HTTP. Por convención, ASP.NET sirve de enlace entre el nombre del método y el verbo `HTTP`. El atributo `HttpGet` encima del método es una seguridad que permite indicar que este método solo es accesible mediante el verbo mencionado.

Creamos un controlador nuevo gracias a la creación de una clase nueva: `MiControlador`. Esta clase debe heredar de `ControllerBase` y tener el atributo `ApiController`. Se hará de manera que se pueda acceder a él con ayuda de la URL /micontrolador completando también el atributo `Route`. Para asegurarnos de que el controlador funciona, creamos el método `Get`, que devuelve el valor "`Ok`" con ayuda del método `Ok`. El código completo de este controlador es el siguiente:

```
using Microsoft.AspNetCore.Mvc;

namespace AspNetWebApi.Controllers
{
    [ApiController]
    [Route("micontrolador")]
    public class MiControlador : ControllerBase
    {
```

```
        [HttpGet]
        public IActionResult Get()
        {
            return Ok("Ok");
        }
    }
}
```

Al lanzar el sitio y visitar la URL http://localhost:5000/micontrolador, se puede comprobar que la devolución es simplemente la visualización de la palabra «Ok» en el navegador.

Resultado de la ejecución de un endpoint de API

Una vez más, hay que recordar que la finalidad de una API no es proporcionar interfaces gráficas, sino transmitir datos. Usamos en la API el grupo de los verbos HTTP disponibles: `GET`, `POST`, `PUT`, `DELETE`, `PATCH`, etc. La convención ASP.NET permite indicar que cada verbo está enrutado hacia el método correspondiente a su nombre. Acceder a una URL mediante el navegador web corresponde a una consulta GET; por eso el código ejecutado es el del método `GET`. Para los otros verbos HTTP, hay que usar un cliente que permita ejecutar estas consultas.

Este tipo de cliente es una herramienta indispensable para todos los programadores de API. Una de las más usadas hoy en día es Postman, que se puede encontrar en esta dirección: https://www.postman.com/downloads/ haciendo clic en el botón naranja **Download app** correspondiente a su sistema operativo.

Una vez instalado e iniciado, la interfaz de Postman se parece a esto:

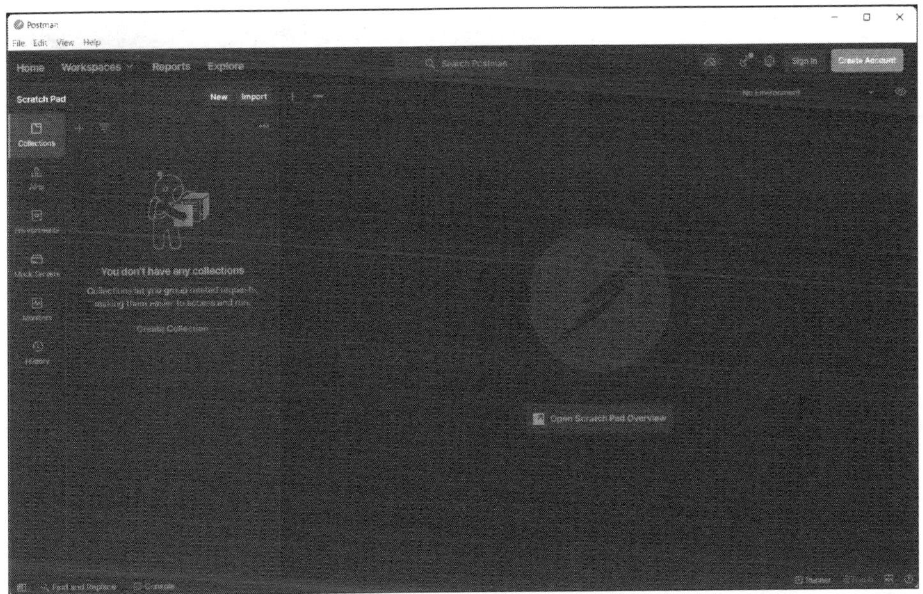

Interfaz principal del cliente Postman

Para poner en práctica el uso del verbo POST, vamos a realizar las siguientes acciones:

- Crear una propiedad privada estática de tipo `string` (compartida entre todas las sesiones cliente de nuestra API, algo que se ha de evitar en la mayoría de los casos en una API destinada a la producción).
- Recuperar el valor de esta propiedad en el método `Get`.
- Actualizar el valor de esta propiedad en un método nuevo accesible mediante el verbo `POST`.

Para que eso pueda funcionar, por supuesto hay que declarar la propiedad, pero también crear un método que será accesible mediante POST. Seguiremos la convención, para hacer esto lo más fácil y accesible posible, creando un método Post que acepta el valor como parámetro. Todo método de API debe devolver una respuesta HTTP para indicar si la ejecución se ha realizado con éxito o no. Para eso, nuestro método Post devuelve Ok después de haber asignado el valor de la propiedad estática. Igualmente, hay que prever la transformación del método Get para devolver el valor de esta propiedad en lugar del valor fijo "Ok" El código de nuestro controlador es el siguiente:

```
private static string Data = "";

[HttpGet]
public IActionResult Get()
{
    return Ok(Data);
}

[HttpPost]
public IActionResult Post([FromBody] string value)
{
    Data = value;
    return Ok();
}
```

Observación

Se observa que el método Post acepta un parámetro construido mediante el atributo FromBody. Este último indica que hay que recuperar el parámetro desde el cuerpo de la consulta, algo frecuente en Post.

Ahora que se han programado los endpoints, es el momento de comprobar que funcionan. Para hacer esto, primero vamos a lanzar la aplicación con ayuda del comando dotnet run, luego usaremos Postman para configurar el envío de nuestra consulta en POST.

Para enviar una consulta `POST` con Postman, hay que proceder de la siguiente manera:

- Cree una consulta nueva usando el botón «**+**» visible en la parte principal del software.
- Escriba la URL completa (1) donde hacer la llamada dentro de la barra de dirección disponible.
- Cambie el verbo usando la lista desplegable a la izquierda de la barra de dirección y seleccione **POST** (2).
- Escriba el valor en el cuerpo de la consulta haciendo clic en la pestaña **Body** (3). En esta pestaña, hay que cambiar el tipo mediante la lista desplegable seleccionando **raw** (4) y luego seleccionando **JSON** en la segunda lista (5), a su derecha. Una vez hecho esto, en la zona (6), escriba el valor para enviar.

Cuando todo esté configurado, la interfaz debe ser similar a esta:

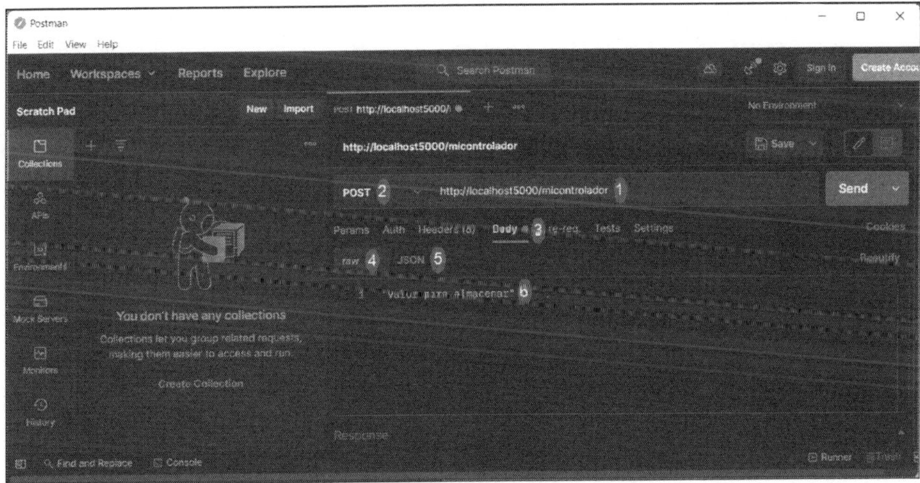

Interfaz Postman con etapas

Cuando se hace clic en el botón azul **Send**, se comprueba que la parte inferior, que contiene la respuesta, muestra el estado vinculado al código HTTP recibido (200), así como el plazo de ejecución y el tamaño de la respuesta:

Devolución del resultado de la ejecución de nuestra consulta

Por lo tanto, se puede usar el navegador para acceder a nuestra URL y recuperar el valor enviado con Postman.

Observación

También se puede usar Postman para recuperar el valor. Para hacer esto, se cambia el verbo de `POST` a `GET` y se observa que el contenido se muestre en la parte de respuesta. Esto permite usar una única herramienta para probar la API de principio a fin.

Hemos visto los distintos tipos de aplicaciones web que se puede crear en C# gracias al framework ASP.NET. Sin embargo, con el lenguaje se pueden crear una gran variedad de aplicaciones. Ahora vamos a ver cómo crear una aplicación de escritorio.

2. Aplicación de escritorio

Incluso si las aplicaciones de escritorio están mucho menos de moda que durante las últimas décadas, siguen siendo imprescindibles cuando se trata de hacer aplicaciones que permitan comportamientos avanzados. Históricamente, .NET es una plataforma destinada a Windows; por eso es lógico disponer de frameworks que permitan realizar aplicaciones de escritorio Windows. Para esto hay tres frameworks: WinForms, WPF y UWP.

■ Observación

Dado que este capítulo trata las aplicaciones de escritorio para Windows, es necesario disponer de una estación de trabajo con Windows y tener instalado el IDE Visual Studio 2022 bajo Windows (https://visualstudio.microsoft.com/es/downloads/, porque él solo contiene todas las herramientas necesarias para poder crear este tipo de aplicación. Durante la instalación, hay que asegurarse de haber instalado la carga de trabajo «Desarrollo de escritorio de .NET» a fin de tener a su disposición todas las herramientas para este tipo de proyecto (ver imagen siguiente).

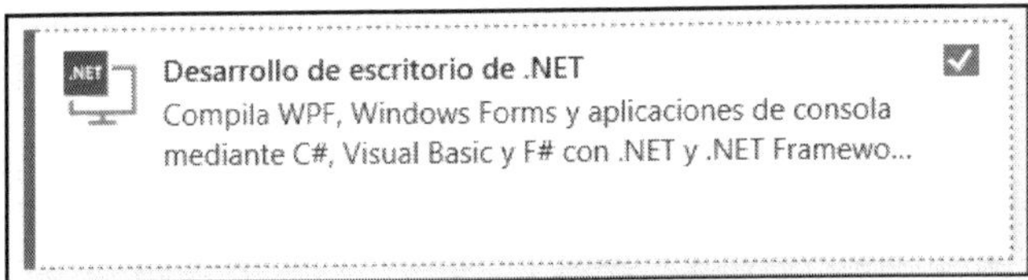

Carga de trabajo Desarrollo de escritorio de .NET

2.1 WinForms

WinForms es el planteamiento más antiguo para crear aplicaciones de escritorio. Sucesor de Visual Basic 6, Winforms sigue siendo una manera muy rápida de crear aplicaciones con facilidad. Microsoft ha impulsado otra tecnología de aplicación de escritorio, WPF (que veremos en la siguiente sección), considerada como la sucesora de WinForms, pero esta última sigue siendo imprescindible para la realización de una aplicación de escritorio ligera y rápida. Esto se debe al hecho de que la implementación se hace de manera muy rápida gracias al diseñador y la interfaz gráfica se basa en la capa GDI+, muy rápida en la ejecución y consume pocos recursos. Sin embargo, GDI+ no permite disfrutar de la aceleración de hardware 3D, lo que puede causar ciertas limitaciones.

Desde la llegada de .NET Core 3.0, se pueden crear aplicaciones Winforms mediante las últimas versiones de .NET, de tal manera que podemos crear una aplicación nueva gracias al comando `dotnet new winforms`.

La ejecución de este comando genera algunos archivos de una aplicación ya ejecutable, pero completamente vacía. La manera de crear una aplicación WinForms se basa en la creación de ventanas, llamadas «Forms». Cada ventana se divide en dos archivos: el archivo de código fuente C# y el archivo de diseñador en C# que permite describir la forma de composición de la interfaz gráfica.

También se observa la presencia de un archivo de proyecto (.csproj) que solo se puede abrir con Visual Studio. Entonces se hace doble clic en este archivo para cargar el proyecto WinForms en Visual Studio.

Una vez cargado, el explorador de soluciones nos muestra el contenido de nuestro proyecto:

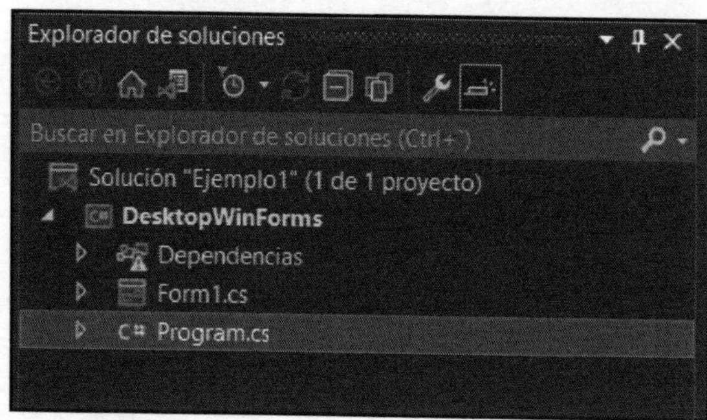

Listado de los archivos de un proyecto WinForms

Se puede comprobar que el icono de la clase `Form1.cs` es distinto del de Program.cs porque Visual Studio ha reconocido que se trataba de una ventana. El archivo Program.cs contiene código muy distinto de todo lo que hemos visto hasta ahora. En esta clase vemos cuatro líneas de código, que usa la clase estática `Application`, para preparar nuestra aplicación de escritorio. La última línea indica qué ventana lanzar como ventana principal instanciándola.

Se ve que es bastante sencillo crear una ventana nueva y mostrarla. Si se hace doble clic en el archivo **Form1.cs**, el editor gráfico de la ventana se lanza en Visual Studio, mostrando la ventana tal y como está en el lanzamiento. También se ve que el título de la ventana es Form1. Vamos a arreglarlo:

- Haga clic derecho en la ventana.
- En el menú contextual, seleccione **Propiedades**.
- En la parte lateral que se abre (normalmente a la derecha), en el nivel del grupo **Apariencia**, en la propiedad **Text**, sustituya «*Form1*» por «*Mi primera ventana WinForms*».

Cuando haya salido de la zona de texto, podrá comprobar inmediatamente que se ha modificado el título de la ventana. La zona de propiedad de Visual Studio es un acceso rápido al archivo de código subyacente, donde se guardan las propiedades personalizadas. De hecho, cualquier modificación de la interfaz gráfica se guarda en el archivo Form1.Designer.cs. Este archivo se puede encontrar desplegando el archivo Form1.cs en Visual Studio.

Si se abre el archivo, se constata que la modificación hecha anteriormente se encuentra en el método `InitializeComponent`.

Observación

Tenga cuidado con no modificar este archivo directamente porque se genera de manera automática y se podría perder información si se manipula de forma manual. Se recomienda permanecer dentro de las herramientas que ofrece Visual Studio.

Ahora vamos a añadir un botón en nuestra ventana y mostrar un mensaje cuando se hace clic en este botón. Para hacerlo, hay que cargar la caja de herramientas de los componentes gráficos disponibles. Es posible que la caja de herramientas ya esté disponible como pestaña en la parte izquierda. Entonces solo hay que hacer clic encima para desplegar el panel y anclarlo. Si la pestaña no está disponible, hay que ir al menú **Ver** y luego a **Cuadro de herramientas** (método abreviado de teclado [Ctrl][Alt] **X**).

A la ventana le cuesta un poco inicializarse y, una vez a punto, muestra la lista de los controles que se pueden usar en la aplicación:

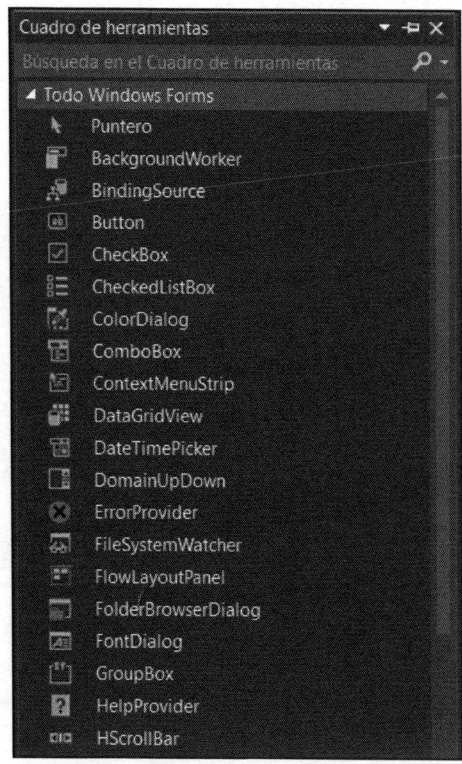

Caja de herramientas de los controles WinForms en Visual Studio

El diseño de la ventana WinForms es muy sencillo: solo hay que arrastrar y soltar el componente elegido en la ventana y colocarlo en el lugar deseado utilizando el ratón.

Vamos a tomar el control **Button** y lo arrastraremos dentro de nuestra ventana hasta el lugar elegido. Deberíamos observar un botón visible y que contiene el texto *button1*. Siguiendo con lo que hemos hecho para la ventana principal, hacemos clic derecho en el botón, seleccionamos **Propiedades** y cambiamos el texto por «*Hacer clic aquí*».

Ahora, hay que prever el código que se mostrará cuando el usuario haga clic en el botón. Se realizan dos acciones:

- Mostrar una ventana emergente que contiene el mensaje «Ha hecho clic en el botón».
- Mostrar en el elemento de texto «Última vez que se ha hecho clic en el botón: » seguido de la fecha y la hora.

Para mostrar un elemento de tipo texto sencillo, usamos el control **Label** y lo arrastramos para colocarlo a continuación del botón que hemos creado antes. De manera predeterminada, el texto es *label1*, pero vamos a cambiarlo para poner un texto vacío quitando el contenido del campo **Text** en las propiedades.

Ahora, para que todo pueda reaccionar al hacer clic en el botón, hay que suscribirse al evento de clic. La suscripción se puede hacer de dos maneras:

- La más sencilla consiste en hacer doble clic en el botón dentro del diseñador.
- La más personalizable consiste en definir el nombre del método anteriormente desarrollado y asignarlo mediante las propiedades en el evento **Click**.

Vamos a elegir la manera sencilla. Cuando hacemos doble clic en el botón, Visual Studio nos lleva directamente a un método llamado `button1_Click` que se ha generado y asignado de manera automática.

Dentro de este método, vamos a realizar las dos operaciones anteriormente citadas. Todos los controles colocados en nuestra ventana tienen un nombre, y este nombre hace el control accesible dentro del código. Así, nuestro botón se llama button1 y nuestro texto, label1. Esto quiere decir que, desde el código C#, se puede acceder al texto para definir su propiedad `Text` con el siguiente código:

```
label1.Text = "Última vez que se ha hecho clic en el botón: " +
DateTime.Now;
```

Para mostrar una ventana emergente, se usa la clase estática `MessageBox` y el método `Show`:

```
MessageBox.Show("Ha hecho clic en el botón");
```

Una vez escrito este código, podemos lanzar nuestra aplicación mediante el depurador de errores integrado en Visual Studio haciendo clic en el botón de inicio situado en la zona superior:

Botón de inicio de la aplicación

Al hacer clic en el botón, se puede ver que la zona de texto se actualiza y la ventana emergente aparece con el texto deseado.

Podemos ver el conjunto del código generado por el diseñador WinForms abriendo el archivo Form1.Designer.cs. Entonces se observa que cada acción que se ha efectuado está vinculada a código generado, como todo lo que tiene que ver con el botón, y se resume en el siguiente código, situado en el método `InitializeComponent`:

```
this.button1.Location = new System.Drawing.Point(207, 104);
this.button1.Name = "button1";
this.button1.Size = new System.Drawing.Size(94, 29);
this.button1.TabIndex = 0;
this.button1.Text = "Hacer clic aquí";
this.button1.UseVisualStyleBackColor = true;
this.button1.Click += new System.EventHandler(this.button1_Click);
```

Como se puede observar, WinForms permite crear aplicaciones de escritorio de manera rápida y sencilla. Sin embargo, hay algunas limitaciones y por eso Microsoft ha publicado un framework nuevo para realizar aplicaciones de escritorio: WPF.

2.2 Windows Presentation Foundation (WPF)

Publicado con Windows Vista, WPF pretendía sustituir a WinForms y aportar un nuevo modelo de desarrollo de las aplicaciones de escritorio. WPF se basa en la capa gráfica DirectX (que ahora permite la aceleración de hardware 3D) y también ofrece una arquitectura más moderna gracias al patrón MVVM (*Model-View-ViewModel*).

El planteamiento adoptado por WPF para la creación de interfaces gráficas es distinto del de WinForms. Allí donde este último se basaba casi exclusivamente en el diseñador, WPF incluye un lenguaje nuevo de creación de interfaces: el XAML. Muy parecido al XML y al HTML, el XAML es el lenguaje de etiquetas que permite realizar una ventana sin usar el diseñador, especialmente con normas de dimensionamiento dinámico, y también con ayuda de data-binding, que de esta manera permite separar con claridad la vista del código de actividad. La ventaja de XAML es que puede crear una interfaz gráfica sin usar ningún diseñador porque hay lógica real de ubicación de los componentes, a semejanza de lo que se puede hacer en la web con HTML y CSS. No se recomienda el uso de coordenadas como en WinForms, aunque es posible hacerlo.

.NET Core 3 también se entregó con el soporte de WPF, de tal manera que se puede crear una aplicación nueva gracias al comando `dotnet new wpf`.

Cuando se ha generado el proyecto, se puede observar una diferencia respecto a los archivos generados en WinForms. De hecho, aquí, no se trata de una ventana almacenada en archivos .cs, sino que aparece una extensión nueva, .xaml:

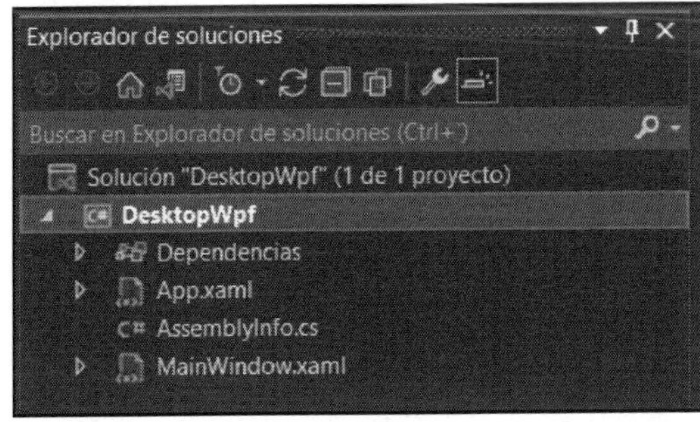

Lista de los archivos de una aplicación WPF

Para modificar el código de la ventana, hay que abrir el archivo MainWindow.xaml. En general, se observa que hay un archivo de código C# asociado, que se puede ver desplegando la flecha a la izquierda del archivo XAML. El archivo MainWindow.xaml.cs es visible. Este archivo corresponde al código subyacente, es decir, el código C# que se puede asociar a la ventana WPF. Este archivo no es equivalente al archivo Designer que tenemos en WinForms porque no contendrá toda la información relacionada con la ubicación, ni la información de los controles, porque estos últimos se encuentran en el XAML.

Para hacer lo mismo que lo que hemos realizado en nuestra aplicación WinForms, pero usando el planteamiento que proporciona WPF, vamos a tener que modificar el XAML. WPF dispone de varios controles que permiten hacer el diseño de la ventana. El componente `Grid` es uno de los más usados y fáciles de comprender porque se trata de una cuadrícula de colocación.

Así, en nuestra aplicación, tendremos una cuadrícula con dos columnas. Por eso, hay que modificar el código XAML para indicar esta información:

```
<Window x:Class="DesktopWpf.MainWindow"
        xmlns="http://schemas.microsoft.com/winfx/2006/xaml/presentation"
        xmlns:x="http://schemas.microsoft.com/winfx/2006/xaml"
        xmlns:d="http://schemas.microsoft.com/expression/blend/2008"
        xmlns:mc="http://schemas.openxmlformats.org/markup-compatibility/2006"
        mc:Ignorable="d"
        Title="Mi primera ventana WPF" Height="450" Width="800">
    <Grid>
        <Grid.ColumnDefinitions>
            <ColumnDefinition/>
            <ColumnDefinition/>
        </Grid.ColumnDefinitions>
    </Grid>
</Window>
```

Considerando el aspecto jerárquico del XAML, hay que insertar los componentes `Button` y `TextBlock` dentro del elemento `Grid`, definiendo en estos últimos a qué columna pertenecen gracias al atributo `Grid.Column`. El atributo `Text` permite definir lo que contiene el elemento de tipo `TextBlock`. De manera predeterminada, un elemento definido en XAML toma todo el espacio posible y su visualización empieza en la parte superior izquierda.

Para que el botón esté centrado y tenga unas proporciones razonables, también hay que definir las propiedades `Height`, `Width`, `HorizontalAlignment` y `VerticalAlignement`:

```
    <Grid>
        <Grid.ColumnDefinitions>
            <ColumnDefinition/>
            <ColumnDefinition/>
        </Grid.ColumnDefinitions>
        <Button Grid.Column="0" Content="Hacer clic aquí" Height="30"
Width="120" HorizontalAlignment="Center" VerticalAlignment="Center"/>
        <TextBlock Grid.Column="1" Text="" HorizontalAlignment=
"Center" VerticalAlignment="Center"/>
    </Grid>
```

Observación

El componente `Label` también existe en WPF pero, para la visualización de texto simple, es preferible usar `TextBlock` porque es más ligero.

Dos enfoques permiten recrear el comportamiento que teníamos en WinForms:

- Gracias a los eventos y escribiendo el código C# en el código subyacente.
- Usando el patrón MVVM.

Esta última opción es la manera recomendada de crear una aplicación WPF extensible basándose en una arquitectura robusta y probada. Sin embargo, este libro no es un libro sobre WPF; por eso, iremos a la solución más accesible, ya que en este caso el propósito solo es mostrar la creación de aplicaciones WPF.

Así, se escribe el atributo `Click` en nuestro componente `Button` y, cuando estamos entre las comillas, Visual Studio nos ofrece una culminación con **Nuevo controlador de eventos** (eso quiere decir que Visual Studio va a generar automáticamente un método asociado y hacer el vínculo con el evento de clic del botón):

Ventana de asistencia de Visual Studio para el evento del clic

Pulsando la tecla [Intro], llegamos al método generado en el código subyacente. Aquí, encontramos la misma lógica que lo que habíamos hecho en WinForms, y la clase `MessageBox` también está disponible. En contraposición, no tenemos acceso a la etiqueta porque esta última no tiene nombre de manera automática, como es el caso en WinForms.

Para que la etiqueta esté accesible al nivel del código subyacente, hay que nombrarla usando el atributo `x:Name`. Por eso, vamos a modificarlo para darle el mismo nombre que WinForms, `label1`:

```
<TextBlock x:Name="label1"
        Grid.Column="1" Text=""
        HorizontalAlignment="Center" VerticalAlignment="Center"/>
```

Observación

El prefijo `x:` corresponde al espacio de nombres (en el sentido XML) donde se encuentra el atributo `Name`.

Una vez hecho esto, podemos definir la propiedad `Content` directamente desde el código subyacente:

```
private void Button_Click(object sender, RoutedEventArgs e)
{
    label1.Text = "Última vez que se ha hecho clic en el botón: " +
DateTime.Now;
    MessageBox.Show("Ha hecho clic en el botón");
}
```

Podemos lanzar nuestra aplicación con la ayuda de Visual Studio y, cuando hacemos clic en el botón, conseguimos el mismo funcionamiento que teníamos antes con WinForms.

Pero ya sea WPF o WinForms, estos dos frameworks solo permiten realizar aplicaciones Win32, es decir, aplicaciones que se basan en las API del sistema operativo Windows que existen desde Windows 95 (aunque, por supuesto, estas últimas han sido mejoradas).

Con la llegada de Windows 10, Microsoft ha lanzado un conjunto de API mucho más modernas para crear aplicaciones dinámicas y responsivas gracias al framework UWP.

2.3 Universal Windows Platform (UWP)

Cuando Windows anunció la salida de Windows 10 en 2015, la promesa era un único sistema operativo, una única aplicación en UWP y todas las plataformas. En ese momento, Microsoft quería aprovechar Windows 10 como un SO que podía ejecutar en diversos periféricos (como los PC, tabletas, smartphones, Hololens, etc.). De ese modo, solo habría habido un único tipo de aplicación para crear, con un diseño responsivo, que habría podido publicarse en todas partes.

Desgraciadamente, el camino no ha sido tan fácil como estaba previsto y el abandono de plataformas como Windows 10 mobile forzó a Microsoft a revisar su trabajo.

Actualmente, UWP sigue existiendo para Windows 10 y permite crear una aplicación en muchos periféricos, pero la lista es más corta.

Las aplicaciones UWP son uno de los pocos casos en los que no se puede crear usando el comando `dotnet new`. Por eso, hay que pasar por Visual Studio para crear una aplicación nueva de este tipo.

Observación

Para que eso sea posible en Visual Studio, se recomienda haber instalado la carga de trabajo ***Desarrollo de la plataforma universal de Windows****, como se muestra en la imagen de debajo:*

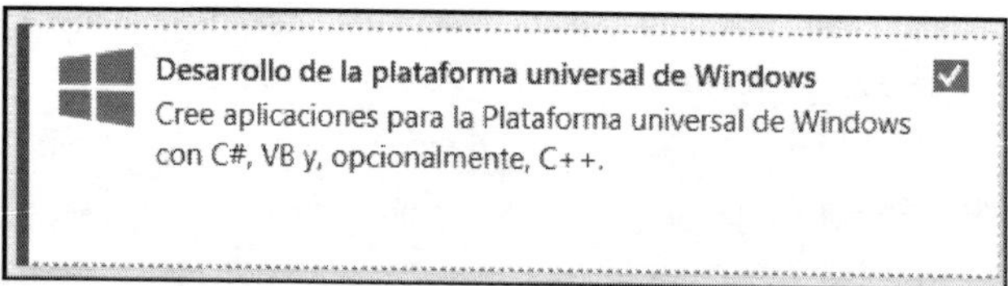

Carga de trabajo para desarrollo de la plataforma universal de Windows

Entonces, dentro del asistente Visual Studio se crea un tipo de proyecto nuevo, «Aplicación vacía (Windows universal)». Durante la creación, Visual Studio nos hace una pregunta bajo la forma de dos listas desplegables, nos pide la versión objetivo y la versión mínima.

En cada nueva versión de Windows 10 (hay dos al año), Microsoft introduce nuevas funciones y API en Windows con destino UWP. Por eso, cuando se decide crear una aplicación nueva, hay que elegir la versión mínima de Windows 10 necesaria para ejecutar la aplicación. Cuanto más antigua sea esta última, menos funciones disponibles habrá. En la fecha de redacción de este libro, la versión mínima recomendada por Visual Studio es Windows 10 1809, es decir, la segunda actualización del año 2018. En cuanto a la versión objetivo, es la versión donde se supone que se va a ejecutar la aplicación. En este caso se recomienda elegir la última versión por fecha, considerando que Microsoft impulsa las actualizaciones de Windows 10 de manera bastante agresiva.

Por eso, la configuración para este proyecto de prueba conservará las opciones predeterminadas ofrecidas por Visual Studio, es decir:

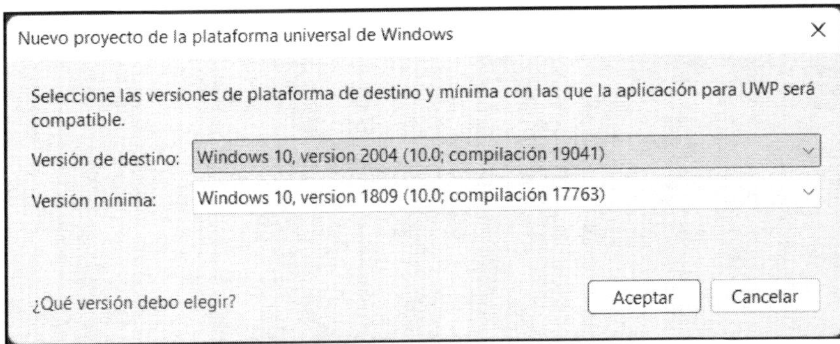

Elección de las versiones para la creación de la aplicación UWP

Observación

Si su sistema operativo no está configurado para activar el modo desarrollador, Visual Studio abre los parámetros de su sistema en la página correcta y solo hay que activar el modo desarrollador para seguir con la creación de la aplicación.

Una vez creada la aplicación, se encuentran ideas similares a las que ya hemos visto en WPF. En efecto, UWP en C# usa el lenguaje XAML para la creación de interfaces gráficas. Aunque en la práctica el XAML de UWP está más evolucionado y es más completo que el de WPF, dentro del marco de nuestro ejercicio, no hay grandes diferencias. Así, en la ventana descrita dentro del archivo MainPage.xaml, podemos retomar el diseño que habíamos creado para WPF:

```
<Page
    x:Class="DesktopUWP.MainPage"
    xmlns="http://schemas.microsoft.com/winfx/2006/xaml/presentation"
    xmlns:x="http://schemas.microsoft.com/winfx/2006/xaml"
    xmlns:local="using:DesktopUWP"
    xmlns:d="http://schemas.microsoft.com/expression/blend/2008"
    xmlns:mc="http://schemas.openxmlformats.org/markup-compatibility/2006"
    mc:Ignorable="d"
    Background="{ThemeResource ApplicationPageBackgroundThemeBrush}">
    <Grid>
        <Grid.ColumnDefinitions>
            <ColumnDefinition/>
            <ColumnDefinition/>
        </Grid.ColumnDefinitions>
        <Button Grid.Column="0" Content="Hacer clic aquí" Height="30" Width="120"
```

```
                HorizontalAlignment="Center" VerticalAlignment="Center"
                Click="Button_Click"/>
        <TextBlock x:Name="label1"
                Grid.Column="1" Text=""
                HorizontalAlignment="Center" VerticalAlignment="Center"/>
    </Grid>
</Page>
```

También hay que ir al archivo de código subyacente para pegar en él el método al que se llama cuando se hace clic en el botón:

```
private void Button_Click(object sender, RoutedEventArgs e)
{
    label1.Text = "Última vez que se ha hecho clic en el botón: " +
DateTime.Now;
}
```

Se observa que se ha eliminado la llamada para la clase `MessageBox` porque esta última se basa en las API Win32, y en UWP debe ser sustituida por un planteamiento más moderno.

Hay muchas alternativas, y UWP permite definir el contenido de la ventana modal directamente en el archivo de la página para personalizar completamente la ventana emergente. Otro planteamiento es usar la clase `ContentDialog`, que muestra una ventana modal simple. Se usará este planteamiento porque es más rápido y fácil. Ahora, el código del método al que se llama con un clic es el siguiente:

```
private async void Button_Click(object sender, RoutedEventArgs e)
{
    try
    {
        label1.Text = "Última vez que se ha hecho clic en el botón: " +
DateTime.Now;
        ContentDialog dialog = new()
        {
            Title = "Información",
            Content = "Ha hecho clic en el botón",
            CloseButtonText = "Ok"
        };

        await dialog.ShowAsync();
    }
    catch { }
}
```

Observación

Dado que el método `ShowAsync` de la clase `ContentDialog` es asíncrono, es necesario usar la palabra clave `await` delante y añadir `async` en la firma. En el caso de un método asociado a un evento gráfico, que es obligatoriamente `void`, hay que rodear totalmente el código del método mediante un `try catch` para evitar un paro general de la aplicación si se produce un error. Por supuesto, el bloque `catch` debería completarse para, como mínimo, señalar el error; aquí solo se trata de un ejemplo.

Si se lanza la aplicación, se obtiene el resultado esperado:

Resultado de la ejecución de la aplicación y del clic en el botón

Aquí hemos hablado de las tres maneras oficiales de crear una aplicación de escritorio con ayuda del lenguaje C#. Según el proyecto y las necesidades técnicas, hay que elegir una u otra solución. Por supuesto, solo se trata de pequeños ejemplos; cada tecnología ofrece un amplio grupo de ventajas, que no podemos tratar en este libro.

3. Aplicación móvil

Hay muchas herramientas que permiten realizar aplicaciones móviles para Android e iOS, las dos plataformas principales para los smartphones en la actualidad. Generalmente, se encuentran dos tipos de herramientas:

- Las que permiten realizar una aplicación móvil a partir de un código fuente común en gran parte y generar una aplicación para las dos plataformas (cross-platform).
- Las que permiten realizar una aplicación móvil para una plataforma dada, directamente en el lenguaje de la plataforma de destino (nativo) o mediante otro lenguaje que se transformará en el de destino.

Apple tiene dos lenguajes para crear aplicaciones iOS: objective-C (lenguaje antiguo) y Swift (lenguaje nuevo). Respecto a Android, encontramos el lenguaje Java y el lenguaje Kotlin.

Como se comprueba, C# no tiene lugar en ninguna de las plataformas; sin embargo, se pueden realizar aplicaciones Android e iOS en C#, gracias a las tecnologías Xamarin y MAUI.

Estos frameworks de aplicaciones permiten realizar los dos tipos de aplicaciones:

- Creando una aplicación móvil con un diseño común basado en el lenguaje XAML con el framework MAUI (antiguamente Xamarin Forms), que después se convertirá en aplicación nativa.
- Creando una aplicación móvil con un diseño mediante plataforma gracias a las herramientas de la plataforma objetivo, que también se convertirá en aplicación nativa.

Tanto si se elige una opción como si se elige la otra, se puede compartir el código de trabajo mediante librerías de clase en C#, lo que constituye la fuerza del framework.

3.1 Instalación

Observación

A finales de 2021, Microsoft anunció que MAUI no estaría listo para una salida simultánea con .NET 6. Así, para poder probar esta parte, hay que conseguir una versión previa de MAUI en vez de una versión estable.

Una aplicación cross-platform permite producir una aplicación Android y una aplicación iOS a partir del mismo código de trabajo y de interfaz gráfica. El nuevo framework MAUI permite realizar una aplicación que podrá derivar en aplicación móvil y de escritorio. Por el momento, nos contentaremos con explorar la parte móvil.

Para desarrollar nuestra nueva aplicación, es necesario que nuestro entorno esté preparado. En efecto, hasta ahora hemos usado Visual Studio Code, que es un editor multiplataforma. Pero este último no ofrece el grupo de herramientas necesarias que ofrece Visual Studio, que está disponible bajo Windows.

Entonces, previamente hay que conseguir Visual Studio 2022 para Windows: https://visualstudio.microsoft.com/es/downloads/

3.1.1 Instalación desde la línea de comando

MAUI necesita instalar un conjunto de herramientas y de kits de desarrollo para que todo esté listo para cada una de las plataformas. Para eso se ha desarrollado una herramienta: **maui-check**. Esta herramienta se instala en la línea de comandos:

```
dotnet tool install -g Redth.Net.Maui.Check
```

Una vez instalada, solo hay que ejecutarla con el comando `maui-check`. Este comando abre un asistente dentro de la consola que analiza el sistema y ofrece instalar todas las herramientas complementarias necesarias. Solo hay que introducir «*y*» en la pregunta «*Attempt to fix*»:

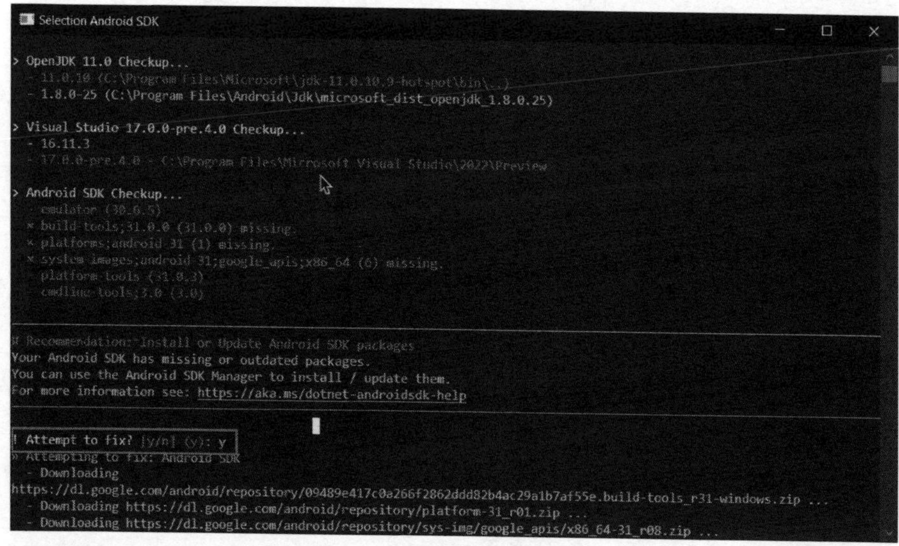

Ejecución de la herramienta maui-check

Para crear una aplicación MAUI en línea de comandos, hay que instalar las plantillas (*templates*) con el comando `dotnet new`. Así, se empieza por escribir el comando:

```
dotnet new --install Microsoft.Maui.Templates
```

Este comando instala la última versión en ese momento de las plantillas de creación de proyectos MAUI. Después de la instalación, se muestra un resumen de las plantillas disponibles:

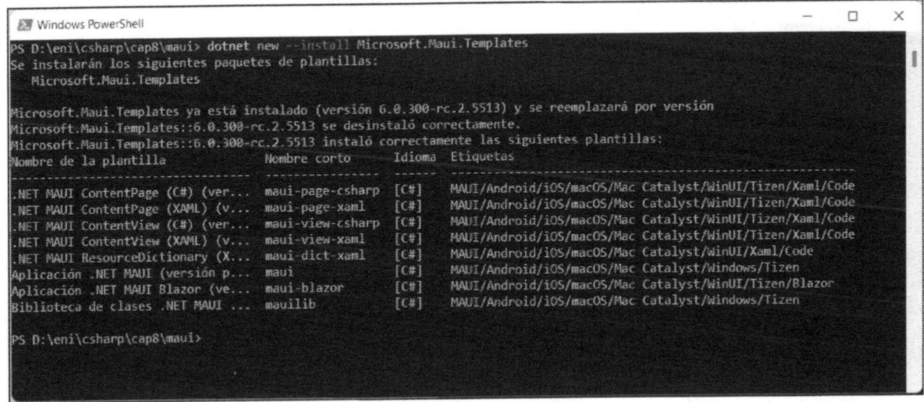

Resumen de las plantillas disponibles a partir de ahora con dotnet new

De manera predeterminada, la creación de una aplicación MAUI se dirige a las plataformas iOS, Android, macOS y Windows, es decir, que una única aplicación permite obtener una aplicación que se ejecuta en dispositivos móviles y también en los entornos de escritorio.

Observación

La generación de aplicaciones para el entorno Apple necesita un Mac para crear los binarios. Siempre se puede experimentar bajo Windows sin tener un Mac disponible, pero, para una aplicación publicable, este último es imprescindible.

Tras la ejecución del comando `dotnet new maui`, se han generado muchos archivos, que constituyen nuestra nueva aplicación MAUI:

Nombre	Fecha de modificación	Tipo	Tamaño
Platforms	10/05/2022 0:38	Carpeta de archivos	
Properties	10/05/2022 0:38	Carpeta de archivos	
Resources	10/05/2022 0:38	Carpeta de archivos	
App.xaml	10/05/2022 0:38	Windows Markup ...	1 KB
App.xaml.cs	10/05/2022 0:38	Archivo de origen ...	1 KB
AppShell.xaml	10/05/2022 0:38	Windows Markup ...	1 KB
AppShell.xaml.cs	10/05/2022 0:38	Archivo de origen ...	1 KB
MainPage.xaml	10/05/2022 0:38	Windows Markup ...	2 KB
MainPage.xaml.cs	10/05/2022 0:38	Archivo de origen ...	1 KB
maui.csproj	10/05/2022 0:38	C# Project File	3 KB
maui.sln	10/05/2022 0:38	Visual Studio Solut...	2 KB
MauiProgram.cs	10/05/2022 0:38	Archivo de origen ...	1 KB

Lista de los archivos de una aplicación MAUI

Se observa la presencia de archivos XAML, que corresponden a la interfaz gráfica de nuestra aplicación, y de archivos CS, que contienen el código C#. También ha aparecido un archivo SLN; este último es un archivo de solución para trabajar con Visual Studio 2022. Aunque hemos trabajado con Visual Studio Code durante todo este libro, Visual Studio 2022 es una herramienta indispensable para seguir experimentando esta solución.

3.1.2 Instalación con Visual Studio 2022

Durante el asistente de instalación de Visual Studio 2022, hay que asegurarse de haber seleccionado la carga de trabajo **Mobile development with .NET** o **Desarrollo para dispositivos móviles con .NET**:

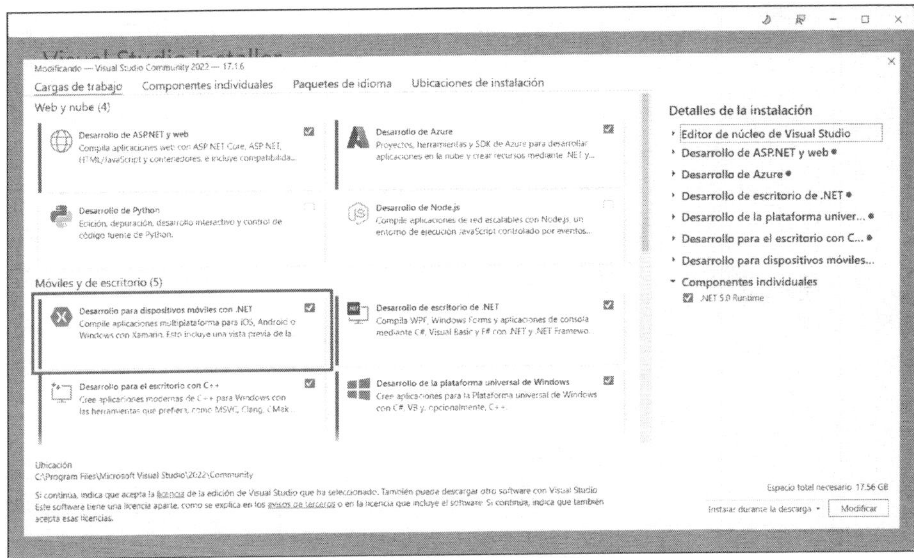

Carga de trabajo de desarrollo para dispositivos móviles

La finalidad de esto es instalar las herramientas vinculadas con Xamarin. Sin embargo, esto no es suficiente porque luego hay que ir a la pestaña **Componentes individuales** y, gracias a la búsqueda, seleccionar los SDK vinculados a .NET MAUI:

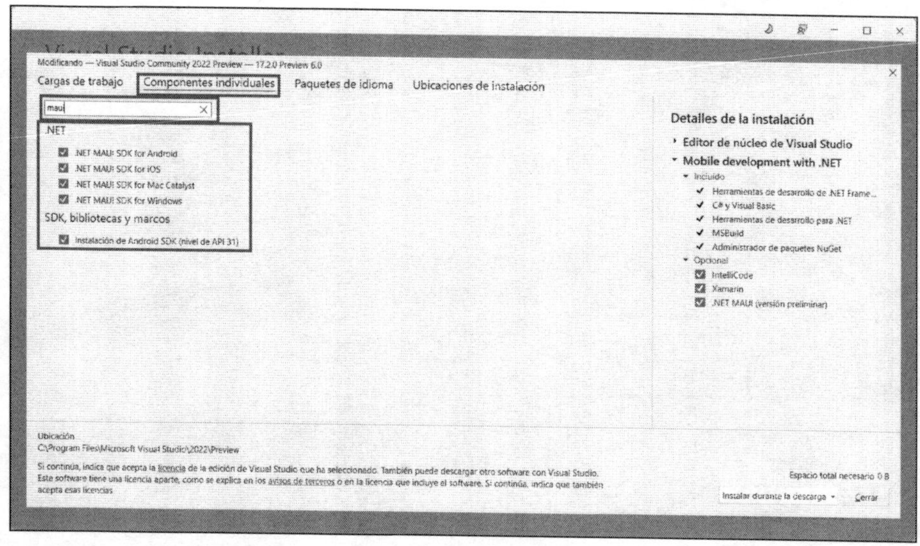

Selección de los componentes individuales MAUI

Después de la instalación, se abre la pantalla de inicio de Visual Studio 2022. Para crear un proyecto MAUI, hay que proceder de la siguiente manera:

- Haga clic en el botón en la columna de la derecha, **Crear un proyecto**.
- En la nueva ventana, filtre los modelos usando la zona superior para conservar solo las plantillas vinculadas con MAUI.

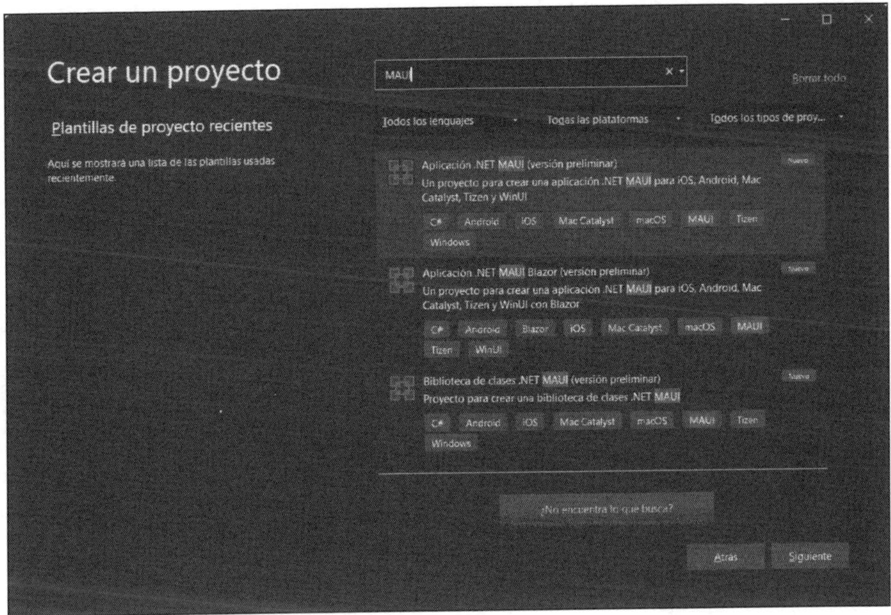

Lista de las plantillas vinculadas con .NET MAUI

- Elija **Aplicación .NET MAUI**.
- En la pantalla siguiente, seleccione la carpeta de destino del proyecto y elija el nombre de la aplicación.

Una vez realizadas estas operaciones, Visual Studio se abre con el explorador de soluciones en el lado derecho (de manera predeterminada). Encontramos los archivos que habíamos visto antes con una ejecución en la línea de comandos.

De ahora en adelante, se puede ejecutar el proyecto MAUI, según la plataforma elegida, usando el menú de ejecución en la parte superior de Visual Studio:

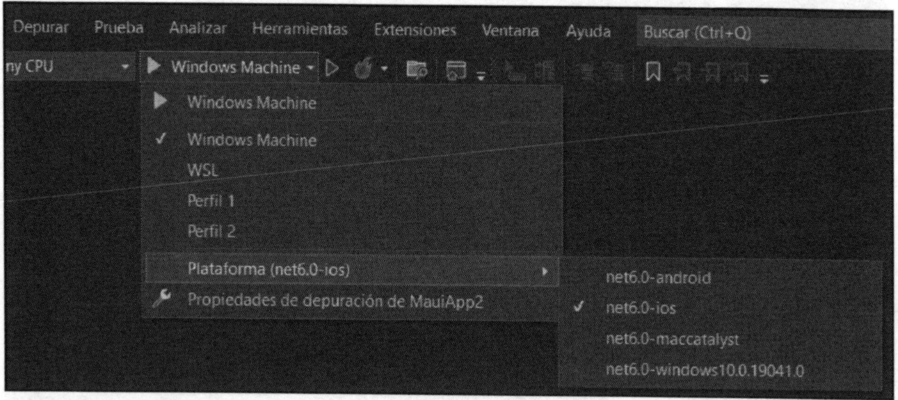

Elección de la plataforma de ejecución del proyecto MAUI

Observación

Como se ha mencionado anteriormente, para la ejecución en iOS en condiciones reales necesita conectar un Mac con Visual Studio.

Para ejecutar nuestra aplicación MAUI en un emulador de Android, tenemos que estar seguros de que la herramienta maui-check no devuelve errores respecto a los distintos SDK Android. Después de esto, usamos Visual Studio para crear un periférico nuevo realizando los siguientes procesos:

- Abra el menú **Herramientas**.
- Vaya a la sección **Android** y luego haga clic en **Android Device Manager**.
- Una vez en la utilidad, haga clic en el botón **New**.
- Configure el periférico nuevo según sus deseos y luego haga clic en el botón **Crear** (observe que se pueden conservar los valores por defecto).

A partir de ahora, el periférico nuevo debe aparecer en la lista de la herramienta:

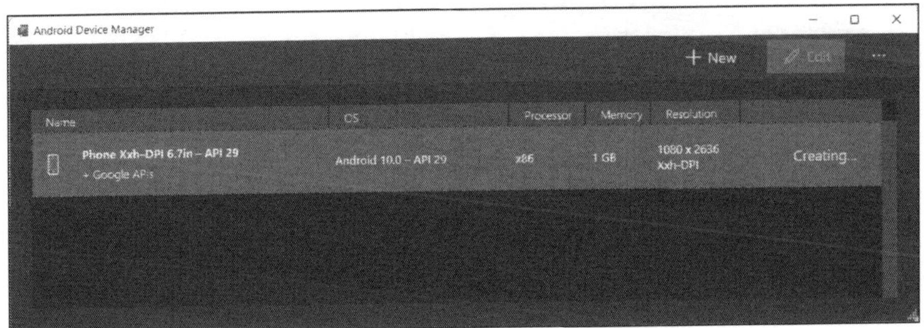

Lista de los periféricos en el device manager

En cuanto el periférico está disponible en la lista de los objetivos vistos anteriormente, se puede hacer un clic derecho en el proyecto y luego elegir la opción **Desplegar** para instalar la aplicación en el emulador de Android. A partir de entonces, está disponible en el menú de las aplicaciones y se puede ejecutar como cualquier aplicación Android:

Ejecución de la aplicación MAUI desplegada

3.2 Código

A partir de ahora tenemos la capacidad de programar en nuestra aplicación móvil. Para eso, se observará que las pantallas MAUI usan la misma tecnología que WPF y UWP, el XAML, pero en una variante ligeramente diferente.

Vamos a retomar la misma lógica que hemos visto anteriormente. Abriendo el archivo MainPage.xaml, vamos a poder editarlo de la siguiente manera para recrear las mismas funciones:

```
<ContentPage xmlns="http://schemas.microsoft.com/dotnet/2021/maui"
             xmlns:x="http://schemas.microsoft.com/winfx/2009/xaml"
             x:Class="MauiApp1.MainPage"
             BackgroundColor="{DynamicResource SecondaryColor}">

    <ScrollView Padding="{OnPlatform iOS='30,60,30,30', Default='30'}">
        <Grid RowSpacing="25" RowDefinitions="Auto,Auto">

            <Button
                Text="Hacer clic aquí"
                FontAttributes="Bold"
                Clicked="OnButtonClicked"
                HorizontalOptions="Center" />

            <Label
                Text=""
                Grid.Row="1"
                FontSize="18"
                FontAttributes="Bold"
                x:Name="label1"
                HorizontalOptions="Center" />
        </Grid>
    </ScrollView>
</ContentPage>
```

También será necesario modificar el código asociado en el archivo XAML (el código subyacente o *code-behind*):

```
using Microsoft.Maui.Controls;
using System;

namespace MauiApp1
{
    public partial class MainPage : ContentPage
    {
        public MainPage()
```

```
        {
            InitializeComponent();
        }

        private async void OnButtonClicked(object sender, EventArgs e)
        {
            label1.Text = "Última vez que se ha hecho clic en el botón: " +
DateTime.Now;
            await DisplayAlert("Información", "Ha hecho clic en
el botón", "OK");
        }
    }
}
```

Una vez realizadas estas modificaciones, podemos volver a desplegar la aplicación en el emulador de Android para comprobar que nuestro código es funcional:

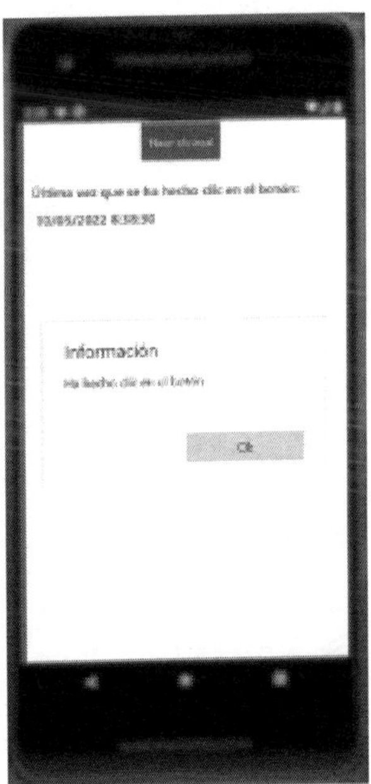

Ejecución de la aplicación MAUI personalizada

4. Conclusión

Hemos visto brevemente en este capítulo todo lo que se puede hacer con .NET en cuestión de aplicaciones. Ya sea web, escritorio o móvil, se puede realisar un conjunto bastante amplio de soluciones gracias al lenguaje C#.

Por supuesto, lo que hemos visto en este capítulo es una introducción muy ligera, y cada solución tiene sus propias especificaciones y capacidades, que no se pueden abarcar en un solo capítulo, porque cada una ellas podría ser el tema de un libro como mínimo. Sin embargo, así tiene una visión general de lo que se puede hacer, junto con un ejemplo que le permite seleccionar bastante rápido las tecnologías que le interesan para profundizar en el tema.

Capítulo 9
Referencia

1. Introducción

Este capítulo sirve de referencia para las palabras clave usadas por C#. Están agrupadas de manera lógica en función de su uso.

2. Palabras clave de tipo

Estas palabras clave están reservadas por el lenguaje para ilustrar un tipo de datos.

– `bool`: representa un valor booleano.

```
bool verdadero = true;
```

– `byte`: 0 a 2_8-1: representa un valor entero comprendido entre 0 y 255.

```
byte diez = 10;
```

– `char`: representa un carácter Unicode.

```
char a = 'a';
```

– `decimal`: ± -10_{28} a ± 10_{28}: representa un número con coma para simplificar los cálculos financieros. Recuerde: durante la declaración hay que añadir el sufijo «m» al valor.

```
decimal diezCincuenta = 10.5m;
```

- `double`: ± -10_{324} a ± 10_{308}: representa un número con coma usado para los cálculos científicos. `double` permite almacenar un valor extremadamente grande y preciso.

```
double diezCincuenta = 10.5;
```

- `float`: ± -10_{45} a ± 10_{38}: representa un número con coma usado para los cálculos científicos. El valor almacenado en un `float` es menor que un `double`. Recuerde: durante la declaración hay que añadir el sufijo «`f`» al valor.

```
float diezCincuenta = 10.5f;
```

- `int`: -2_{31} a 2_{31}-1: representa un valor entero.

```
int diez = 10;
```

- `long`: -2_{63} a 2_{63}-1: representa un valor entero muy grande.

```
long grand = 1_000_000_000_000_000;
```

- `object`: representa la clase básica de cada tipo del framework .NET. Permite almacenar cualquier tipo de valor (boxing/unboxing).

```
object data = "Cadena dentro de un objeto";
```

- `sbyte`: -2_{7} a 2_{7}-1: representa un valor entero comprendido entre -128 y 127.

```
sbyte menosDiez = -10;
```

- `short`: -2_{15} a 2_{15}-1: representa un valor entero de tamaño medio.

```
short diezMil = 10_000;
```

- `string`: representa una cadena de caracteres.

```
string nombre = "Christophe";
```

- `uint`: 0 a 2_{32}-1: representa un entero sin signo (obligatoriamente positivo).

```
uint diez = 10;
```

- `ulong`: 0 a 2_{64}-1: representa un valor entero positivo grande sin signo (obligatoriamente positivo).

```
ulong grand = 100_000_000_000_000_000;
```

– `ushort`: 0 a 2_{16}-1: representa un valor entero de tamaño medio sin signo (obligatoriamente positivo).

```
ushort diezMil = 10_000;
```

– `var`: es un método abreviado que permite dejar al compilador generar el tipo subyacente.

```
var data = "cadena";
```

– `void`: está reservado para el tipo de retorno indicando que no hay valor de retorno.

```
public void Metodo() { }
```

3. Palabras clave de programación orientada a objetos

Las palabras clave presentadas en esta sección se usan durante la definición de objetos.

– `abstract`: permite indicar que una clase o un método es abstracto.

```
public abstract class MiClaseAbstracta
{
    public abstract void MiMetodoAbstracto();
}
```

– `base`: da el acceso a la clase familiar en el marco de la herencia.

```
public class MiClase : ClaseBasica
{
    public MiClase(int valor) : base(valor) { }
    public override void Metodo()
    {
            base.Metodo(); // llamada del método en la clase madre
    }
}
```

- `class`: se usa para la definición de tipos como si fueran una clase. Recuerde: la convención de denominación de una clase respeta las mayúsculas y las minúsculas.

```
public class MiClase { }
```

- `enum`: permite hacer la definición de una enumeración. La enumeración debe colocarse al mismo nivel jerárquico que una clase (dentro de un espacio de nombres).

```
public enum Dia
{
    Lunes,
    Martes,
    Miercoles,
    Jueves,
    Viernes,
    Sabado,
    Domingo
}
```

- `get`: permite definir la función de recuperación de un valor en una propiedad. Usada sin cuerpo, permite definir la lectura de manera automática.

```
public int Valor { get { return 42; } }
```

- `in`: aplicado en un parámetro, indica que el valor es forzosamente de solo lectura. Intentar modificar el valor provocará un error de compilación. Esta palabra clave también se usa en el bucle `foreach` para especificar la colección recorrida.

```
public void Metodo(in MiClase c)
{
}

foreach(var value in collection)
{
}
```

- `init`: permite definir que el setter de una propiedad solo está disponible en la construcción y en la inicialización simplificada.

```
public string Nombre { get; init; }
```

- `interface`: se usa para la definición de un tipo como si fuera una interfaz. Recuerde: por convención, el nombre de una interfaz empieza con una i mayúscula.

```
public interface IMiInterfaz
```

- `internal`: define un alcance que garantiza la visibilidad únicamente dentro de la misma assembly.

```
internal class MiClaseInterna { }
```

- `namespace`: se usa en la definición del espacio de nombres.

```
namespace MiEspacioDeNombres
{
}
```

- `new`: permite instanciar un objeto nuevo en memoria.

```
var miClase = new MiClase();
```

- `override`: sirve para definir la sobrecarga de un método de la clase madre.

```
public override void Metodo()
{
}
```

- `private`: define un alcance que garantiza la visibilidad únicamente dentro de la misma clase.

```
private bool miValor;
```

- `private protected`: define un alcance que garantiza la visibilidad únicamente dentro de la misma clase y de las clases hijas que se sitúan dentro del mismo proyecto.

```
private protected int valor;
```

- `protected`: define un alcance que garantiza la visibilidad únicamente dentro de la clase y su descendencia.

```
protected string cadena = "Conexión";
```

- `protected internal`: define un alcance que garantiza la visibilidad dentro de la clase y su descendencia, así como dentro de todas las clases en la misma assembly.

```
protected internal int data;
```

- `readonly`: indica que un valor solo se puede definir en el momento de la construcción de un objeto.

```
private readonly int valor;
```

- `record`: se usa para la definición de tipo como si fuera un record.

```
public record Data(string valor);
```

- `record struct`: se usa para la definición de tipo como si fuera un record que se almacenará dentro de una estructura, en lugar de una clase.

```
public record struct DataStruct(string data);
```

- `sealed`: especifica que la clase no se puede heredar.

```
public sealed class ClaseFinal { }
```

- `set`: permite definir la función de escritura del dato de una propiedad. Usada sin cuerpo, permite definir la escritura de manera automática.

```
public int Valor { get; set; }
```

- `static`: indica que la clase no se puede instanciar o, en un método, indica que el método se puede invocar sin instancia.

```
public static class MiClaseEstatica
{
    public static void MetodoEstatico() { }
}
```

- `struct`: se usa para la definición de tipo como si fuera una estructura.

```
public struct MiEstructura
{
}
```

– `value`: disponible dentro de la función de `set` de una propiedad, contiene el valor nuevo que se quiere asignar a la propiedad.

```
public int Cuadrado { get { return cuadrado; } set { cuadrado =
value ^ 2; } }
```

– `virtual`: indica que un método se podrá sobrecargar en las clases hijas.

```
public virtual void MetodoSobrecargable() { }
```

4. Palabras clave algorítmicas

Las palabras clave presentadas en esta sección se usan durante la escritura de algoritmos en C#.

– `as`: intenta efectuar la conversión hacia el tipo deseado. Si eso no es posible, se devuelve el valor especial `null`.

```
object valor = 42;
string data = valor as string; // data contendrá null
```

– `async`: marca un método como su fuera asíncrono.

```
public async Task MiMetodoAsincrono() { }
```

– `await`: permite esperar a un método asíncrono que devuelve una promesa.

Observación

`await` solo se puede usar dentro de un método marcado como `async`.

```
public async Task MiMetodoAsincrono()
{
    await MiOtroMetodoAsincrono();
}
```

– `break`: colocado dentro de una instrucción `switch`, permite indicar el final de un tratamiento, o se usa dentro de un bucle para provocar el paro de este último.

```
// instrucción switch
switch(data)
{
    case "0" :
```

```
    break;
}

// bucle
while(true)
{
    break;
}
```

- case: colocado dentro de una instrucción switch, permite indicar un caso.

```
switch(data)
{
    case "0" :
    break;
}
```

- catch: permite definir un bloque de gestión de un error. Se sitúa obligatoriamente a continuación de un bloque try.

```
try
{
}
catch(Exception e)
{
}
```

- continue: permite interrumpir la iteración actual de un bucle para pasar directamente al siguiente.

```
for(int i = 0; i < 10; i = i +1)
{
    continue;
}
```

- const: indica que el valor será constante, es decir, fijado en el momento de la compilación.

```
public void Metodo()
{
    const int respuesta = 42;
}
```

- `default`: define una etiqueta especial de una instrucción `switch` que permite especificar el caso «por defecto», es decir, no gestionado por las otras etiquetas `case`.

```
switch(valor)
{
    case "0" : ...
    break;
    default: ...
    break;
}
```

- `delegate`: permite definir un delegado (puntero en función).

```
public delegate void MiFuncion(string param);
```

- `do`: se usa para definir un bucle «`do while`».

```
do
{
} while(true);
```

- `else`: permite definir un bloque para la condición inversa del `if` escrito inicialmente. También se puede usar junto con otro `if`.

```
if(test)
{
}
else
{
}
```

- `event`: permite definir un evento C#.

```
public event MiFuncion OnMiFuncion;
```

- `finally`: permite definir un bloque que se ejecuta de manera sistemática durante la evaluación de un `try catch`. Observación: se puede tener solo un bloque `try finally`.

```
try
{
}
catch
{
}
```

```
finally
{
}
```

- `for`: se usa para definir un bucle `for`, bucle que toma una condición de partida, una condición de salida y una función de evaluación en cada iteración.

```
for(int i = 0; i < 10; i = i + 1)
{
}
```

- `foreach`: sirve para definir un bucle `foreach`, usado para recorrer todos los elementos de una colección.

```
foreach(var item in collection)
{
}
```

- `if`: se usa para definir un bloque de código ejecutado únicamente sobre la base de una condición.

```
if(i > 10)
{
}
```

- `is`: se usa en el marco de la coincidencia de patrones para verificar si un valor es de un tipo deseado.

```
object data = "valor";
if(data is string str)
{
}
```

- `null`: sirve para describir la ausencia de valor.

```
object obj = null;
```

- `out`: indica que un parámetro de método está disponible como escritura. Recuerde: esto no funciona en los métodos asíncronos.

```
public void Metodo(out int data)
{
    data = 42;
}
```

- `params`: indica que un parámetro de método (de tipo tabla) puede tener un conjunto de valores ilimitado.

```
public void Metodo(params int[] args)
{
}
```

- `ref`: indica que un parámetro de método se pasa como referencia en lugar de pasarse mediante valor (para el caso de los tipos de valores) o que se trata de una referencia de puntero (para el caso de los tipos de referencias).

```
public void Metodo(ref int valor)
{
}
```

- `return`: se usa para indicar el final de un método (retorno al llamador) o el retorno de un valor.

```
public void Metodo()
{
    return;
}
public int Calc()
{
    return 42;
}
```

- `switch`: instrucción algorítmica que permite someter un valor a un conjunto de etiqueta. Se puede usar bajo la forma de una instrucción o de una expresión.

```
switch(valor)
{
    case "0": ...
    break;
}
valor switch
{
    "0" => ...
}
```

- `throw`: se usa para devolver una excepción. Dentro de un bloque `catch`, la palabra clave solo indica que se debe propagar la excepción.

```
throw new Exception();
try
{
}
catch(Exception e)
{
    throw;
}
```

- `try`: se usa para definir un bloque de evaluación de código que podría devolver una excepción. Se coloca obligatoriamente después de un bloque `catch/finally` o simplemente `finally`.

```
try
{
}
catch(Exception e) {}
finally {}
```

- `when`: se usa con el propósito de poder aplicar un filtro en un bloque `catch`.

```
try
{
}
catch(HttpException e) when (e.StatusCode == 404)
{
}
```

- `while`: sirve para declarar un bucle `while` (mientras).

```
while(true)
{
}
```

B

C

D

E

F

G

H

I

J

L

M

N

O

R

S

T

U

V

W

X

Y

Z

Para poder acceder durante un añoa
la versión online de este libro,
envíenos su justificante de compra a

librodigital@ediciones-eni.com

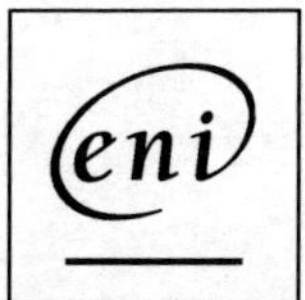